2nd Edition

CHINESE MADE EASY

I
Textbook

Simplified Characters Version

轻 松 学 汉 语 （课本）

Yamin Ma
Xinying Li

Joint Publishing (H.K.) Co., Ltd.
三联书店（香港）有限公司

CHINESE MADE EASY

Chinese Made Easy (*Textbook 4*)

Yamin Ma, Xinying Li

Editor	Luo Fang
Art design	Arthur Y. Wang, Yamin Ma, Xinying Li
Cover design	Arthur Y. Wang, Zhong Wenjun
Graphic design	Zhong Wenjun
Typeset	Zhou Min, Zhong Wenjun

Published by
JOINT PUBLISHING (H.K.) CO., LTD.
Rm. 1304, 1065 King's Road, Quarry Bay, Hong Kong

Distributed by
SUP PUBLISHING LOGISTICS (HK) LTD.
3/F., 36 Ting Lai Road, Tai Po, N.T., Hong Kong

First published August 2003
Second edition, first impression, November 2006

Copyright ©2003, 2006 Joint Publishing (H.K.) Co., Ltd.

You can contact us via the following:
Tel: (852) 2525 0102, (86) 755 8343 2532
Fax: (852) 2845 5249, (86) 755 8343 2527
Email: publish@jointpublishing.com
http://www.jointpublishing.com/cheasy/

轻松学汉语 (课本四)

编　著　马亚敏　李欣颖

责任编辑	罗　芳	
美术策划	王　宇　马亚敏　李欣颖	
封面设计	王　宇　钟文君	
版式设计	钟文君	
排　版	周　敏　钟文君	

出　版	三联书店（香港）有限公司
	香港鲗鱼涌英皇道1065号1304室
发　行	香港联合书刊物流有限公司
	香港新界大埔汀丽路36号3字楼
印　刷	深圳市德信美印刷有限公司
	深圳市福田区八卦三路522栋2楼
版　次	2003年8月香港第一版第一次印刷
	2006年11月香港第二版第一次印刷
规　格	大16开 (210 x 280mm) 112面
国际书号	ISBN-13: 978.962.04.2590.5
	ISBN-10: 962.04.2590.1

©2003、2006 三联书店（香港）有限公司

Authors' acknowledgments

We are grateful to all the following people who have helped us to put the books into publication:

- Our publisher, 李昕、陈翠玲 and our editor, 罗芳 who trusted our ability and expertise in the field of Mandarin teaching and learning, and supported us during the period of publication
- Mrs. Marion John who edited our English and has been a great support in our endeavour to write our own textbooks
- 吴颖 、沈志华 who edited our Chinese
- Arthur Y. Wang, Annie Wang, 于霆、龚华伟、万琼 for their creativity, skill and hard work in the design of art pieces. Without Arthur Y. Wang's guidance and artistic insight, the books would not have been so beautiful and attractive
- Arthur Y. Wang and 李昕 who provided the fabulous photos
- 刘春晓 and Tony Zhang who assisted the authors with the sound recording
- Our family members who have always supported and encouraged us to pursue our research and work on this series. Without their continual and generous support, we would not have had the energy and time to accomplish this project

INTRODUCTION

■ The series of *Chinese Made Easy* consists of 5 books, designed to emphasize the development of communication skills in listening, speaking, reading and writing. The primary goal of this series is to help the learners use Chinese to exchange information and to communicate their ideas. The unique characteristic of this series is the use of the Communicative Approach adopted in teaching Chinese as a foreign language. This approach also takes into account the differences between Chinese and Romance languages, in that the written characters in Chinese are independent of their pronunciation.

■ The whole series is a two-level course: level 1 – Book 1, 2 and 3; and level 2 – Book 4 and 5. All the textbooks are in colour and the accompanying workbooks and teacher's books are in black and white.

COURSE DESIGN

■ The textbook covers texts and grammar with particular emphasis on listening and speaking. The style of texts varies according to the content. Grammatical rules are explained in note form, followed by practice exercises. There are several listening and speaking exercises for each lesson.

■ The textbook plays an important role in helping students develop oral communication skills through oral tasks, such as dialogues, questions and answers, interviews, surveys, oral presentations, etc. At the same time, the teaching of characters and character formation are also incorporated into the lessons. Vocabulary in earlier books will appear again in later books to reinforce memory.

■ The workbook contains extensive reading materials and varied exercises to support the textbook.

■ The teacher's book provides keys to the exercises in both textbook and workbook, and it also gives suggestions, such as how to make a good use of the exercises and activities in order to maximize the learning. In the teacher's book, there is a set of tests for each unit, testing four language skills: listening, speaking, reading and writing.

Level 1:

■ Book 1 includes approximately 250 new characters, and Book 2 and Book 3 contain approximately 300 new characters each. There are 5 units in each textbook, and 3-5 lessons in each unit. Each lesson introduces 20-25 new characters.

■ In order to establish a solid foundation for character learning, the primary focus for Book 1 is the teaching of radicals (unit 1), character writing and character formation. Simple characters are introduced through short rhymes in unit 2 to unit 5.

■ Book 2 and 3 continue the development of communication skills, as well as introducing China, its culture and customs through three pieces of simple texts in each unit.

■ To ensure a smooth transition, some pinyin is removed in Book 2 and a lesser amount of pinyin in later books. We believe that the students at this stage still need the support of pinyin when doing oral practice.

Level 2:

■ Book 4 and 5 each includes approximately 350 new characters. There are 4 units in the textbook and 3 lessons in each unit. Each lesson introduces about 30 new characters.

■ The topics covered in Book 4 and 5 are contemporary in nature, and are interesting and relevant to the students' experience.

■ The listening and speaking exercises in Book 4 and 5 take various forms, and are carefully designed to reflect the real Chinese speaking world. The students are provided with various speaking opportunities to use the language in real situations.

- Reading texts in various formats and of graded difficulty levels are provided in the workbook, in order to reinforce the learning of vocabulary, grammar and sentence structure.

- Dictionary skills are taught in Book 4, as we believe that the students at this stage should be able to use the dictionary to extend their learning skills and become independent learners of Chinese.

- Pinyin is only present in vocabulary list in Book 4 and 5. We believe that the students at this stage are able to pronounce the characters without the support of pinyin.

- Writing skills are reinforced in Book 4 and 5. The writing task usually follows a reading text, so that the text will serve as a model for the students' own reproduction of the language.

- Extensive reading materials with an international flavour is included in the workbook. Students are exposed to Chinese language, culture and traditions through authentic texts.

COURSE LENGTH

- Books 1, 2 and 3 each covers approximately 100 hours of class time, and Books 4 and 5 might need more time, depending on how the book is used and the ability of students. Workbooks contain extensive exercises for both class and independent learning. The five books are continuous and ongoing, so they can be taught within any time span.

HOW TO USE THIS BOOK

Here are a few suggestions from the authors:

- Some new words are usually included in listening comprehension exercises to challenge the students. We suggest that the teacher go over the questions for the exercises with the students before they actually listen to the recording.

- Before practising the oral exercises in the textbook, the teacher should introduce the suggested vocabulary or phrases.

- The teacher should encourage the students to use their dictionary skills whenever appropriate, so that the students can extend their reading skills independently.

- The students are encouraged to research information on the internet and use other resources for their essay writing. The word limit for each piece of essay writing is to be decided by the teacher or the students according to their ability and level.

- The text for each lesson, listening comprehension exercises and reading texts are on the CDs attached to the textbook. The symbol indicates the track number, for example, Ⓒⅅ T1 is Disc 1, Track 1.

Yamin Ma

August, 2006 in Hong Kong

CONTENTS 目 录

第三单元　家居生活

第四单元　社区

附　录

第一单元 中国概况

第一课 中国的地理环境

CD1 T1

中国的全称叫中华人民共和国，是世界上第三大国，面积有960万平方公里。中国的人口超过12亿，是世界上人口最多的国家。中国是一个多民族的国家，有56个民族，其中汉族人口最多，占全国人口的94%，少数民族人口占6%。

中国划分为23个省，5个自治区，4个直辖市及2个特别行政区。5个自治区分别是西藏、新疆、广西、内蒙古和宁夏。4个直辖市分别是北京、上海、天津和重庆，其中北京是中国的首都，也是中国的政治、经济和文化中心；上海是中国第一大城市，是中国的工业、金融和商业中心。香港和澳门是中国的2个特别行政区。

中国的东南沿海有许多岛屿，其中最大的是台湾岛和海南岛。

根据课文判断正误：

- ☐ 1) 中国的面积有 9,600,000 平方公里。
- ☐ 2) 中国有 56 个少数民族。
- ☐ 3) 上海是中国的一个省。
- ☐ 4) 天津是中国最大的城市。
- ☐ 5) 香港是一个特别行政区。

生词：

1 chēng 称（稱）call; weigh   quán chēng 全称 full name

2 huá 华（華）splendour; China

zhōng huá rén mín gòng hé guó
中华人民共和国
The People's Republic of China

3 jī 积（積）accumulate   miàn jī 面积 area

4 píng fāng 平方 square

5 gōng lǐ 公里 kilometer

6 chāo guò 超过 surpass; exceed

7 yì 亿（億）a hundred million

8 zú 族 race; nationality

mín zú 民族 nationality; ethnic group

shǎoshù mín zú 少数民族 minority nationality

9 zhàn 占（佔）occupy; account for

10 huà 划（劃）differentiate; plan   huà fēn 划分 divide

11 shěng 省 province

12 zì zhì qū 自治区 autonomous region

13 xiá 辖（轄）have jurisdiction over; govern

zhí xiá shì 直辖市 municipality directly under the Central Government

14 xíng zhèng qū 行政区 administrative region

15 fēn bié 分别 respectively

16 zhèng zhì 政治 politics; political affairs

17 jì 济（濟）relieve; help   jīng jì 经济 economy

18 zhōng xīn 中心 centre

19 gōng yè 工业 industry

20 róng 融 melt; circulation   jīn róng 金融 finance; banking

21 yán 沿 along   yán hǎi 沿海 coastal

22 dǎo 岛（島）island

23 yǔ 屿（嶼）small island; islet   dǎo yǔ 岛屿 islands and islets

专有名词：

1 xī zàng 西藏 Tibet

2 xīn jiāng 新疆 Xinjiang

3 guǎng xī 广西 Guangxi

4 nèi měng gǔ 内蒙古 Inner Mongolia

5 níng xià 宁夏 Ningxia

6 tiān jīn 天津 Tianjin

7 chóng qìng 重庆 Chongqing

8 hǎi nán dǎo 海南岛 Hainan Island

1 在适当的空格内打 ✓

1. 如果你去上海，你可以坐   。

□ □ □

2. 坐   不算贵，又快又方便。

□ □ □

3. 上、下班时坐   的人很多。

□ □ □

4. 现在马路上的    比以前少多了。

□ □ □

2 回答下列问题(答案从方框里找)

1. 世界上面积最大的国家是哪一个？

2. 面积第二大的国家是哪一个？

3. 世界上哪个国家的人口最多？

4. 除了中国以外，哪个国家的人口超过10亿？

5. 全世界一共有多少人口？

6. 世界上最长的河流是哪一条？

7. 世界上最大的海洋是哪一个？

a. 印度
b. 加拿大
c. 俄罗斯
d. 美国
e. 大西洋
f. 太平洋
g. 尼罗河
h. 长江
i. 中国
j. 60亿
k. 40亿

注释： 查字典(1)

　　通过汉语拼音查中文字典跟查英文字典是一样的，也是按照英文26个字母的顺序来查的。不同的是中文有四个声调和一个轻声，排列顺序是：第一声"－"、第二声"ˊ"、第三声"ˇ"、第四声"ˋ"，轻声字在最后。如果要查"例子"这个词，先查到"例"，然后找到"例子"的英文意思是example; case; instance。

3 查字典，并填写意思

1 选择 _____

2 正确 _____

3 答案 _____

4 填充 _____

5 空格 _____

6 作文 _____

7 写作 _____

8 便条 _____

9 适当 _____

10 内容 _____

11 必须 _____

12 下列 _____

13 问题 _____

4 查字典，并翻译下列句子

1. 选择正确答案。

2. 把答案填在空格内。

3. 用中文回答问题。

4. 写一张便条。

5. 在适当的空格内打✓。

6. 作文内容必须包括……

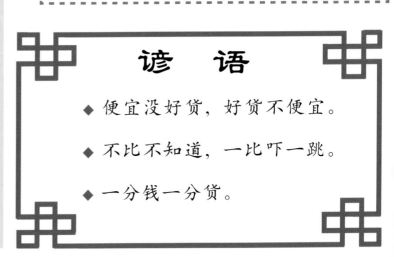

谚 语

◆ 便宜没好货，好货不便宜。

◆ 不比不知道，一比吓一跳。

◆ 一分钱一分货。

5 ⓒ CD1 T3 在适当的空格内打 ✓

1. 中国的主要河流有

长江	黑龙江	珠江	黄河

。

2. 长江是世界上第

二	三	一

大河。

3. 长江全长

6,300	6,400	3,600

多公里。

4. 长江在

北京	上海	广州

流入东海。

5. 黄河流经中国北部的

6	9	7

个省。

6. 珠江在中国的

西	南	北

部。

6 根据你自己的情况回答下列问题

1. 你今年多大了？上几年级？

2. 你是哪国人？你是在哪儿出生的？

3. 你爸爸是在哪儿出生的？你妈妈是在哪儿出生的？

4. 你去过世界上哪些国家？

5. 你最喜欢哪个国家？为什么？

6. 你的家人中谁会说汉语？

7. 你爸爸学过汉语吗？

8. 你会说哪种语言和方言？

9. 你到过中国吗？到过中国的哪些城市？

10. 你今后打算去哪些国家旅游？

7 根据地图回答下列问题

8 用 2-3 分钟说一说你熟悉的国家，内容包括

1. 中国最南端的省份叫什么？

2. 中国的东北指的是哪三个省？

3. 中国的哪几个省在东南沿海？

4. 苏州在哪个省？

5. 杭州在哪个省？

6. 与福建相邻的省份有哪几个？

7. 北京和天津在哪个省内？

➤ 地理位置

➤ 人口

➤ 语言

➤ 气候

➤ 首都及主要城市

➤ 主要河流

阅读(一) 折箭训子

CD1 T4

古代南朝时期，一位少数民族首领有二十个儿子。有一天，这位父亲对他的儿子们说："你们每个人给我拿一支箭来。"箭拿来以后，父亲把箭一支支折断并扔到了地上。然后，他又叫每个儿子再拿一支箭给他。他把其中一支箭拿给他弟弟，并叫他把箭折断。他弟弟一下子就把箭折为两段。首领又对他弟弟说："你把剩下的19支箭一起折断。"可是他弟弟无论怎样用力，箭还是折不断。首领指着这些箭对儿子们说："你们明白了吗？一支箭是很容易被折断的，但一把箭就很难被折断。可见只要大家一起努力，我们的民族就会强大起来。"

生词：

1. 箭 jiàn arrow
2. 训（訓）xùn instruct
3. 南朝 nán cháo Southern Dynasties (420-589)
4. 时期 shí qī period
5. 首领 shǒu lǐng leader; head
6. 断（斷）duàn break; snap
7. 扔 rēng throw; toss; cast
8. 段 duàn section; part
9. 剩 shèng surplus 剩下 shèng xia be left (over)
10. 论（論）lùn dicuss; opinion; theory 无论 wú lùn no matter what; regardless
11. 用力 yòng lì use one's strength
12. 可见 kě jiàn it is thus clear; it shows
13. 努 nǔ bulge 努力 nǔ lì make a great effort
14. 强（強）qiáng strong; powerful 强大 qiáng dà big and powerful

7

第二课　汉语

　　汉语是汉民族的语言，是中国的官方语言，也是联合国六种通用语言之一。除了中国大陆、台湾、香港、澳门和新加坡以外，日语和韩语中也有汉字。目前中国大陆和新加坡使用简体字，而台湾、香港和澳门仍然使用繁体字。

　　汉字大约有四千年的历史，是世界上最古老的文字之一。汉字的总数将近6万个，但是常用字只有3,500个左右，也就是说，学会了这3,500个字就能看懂一般的中文报纸，也可以用中文写文章了。

　　几乎每个汉字都有意思，而汉语大多是以词来表达意思的。词可以由一个汉字表示，如人、口、手等，更多的是由两个或两个以上的字组成的，例如学生、图书馆、出租汽车等。

　　每个汉字都有自己的读音，用汉语拼音来表示。汉语拼音有四个声调，还有汉语中同音词很多，所以正确的发音很重要。汉语的语法不算难，当你知道了一个句子里每个词的意思时，你也就知道这句话的大意了。

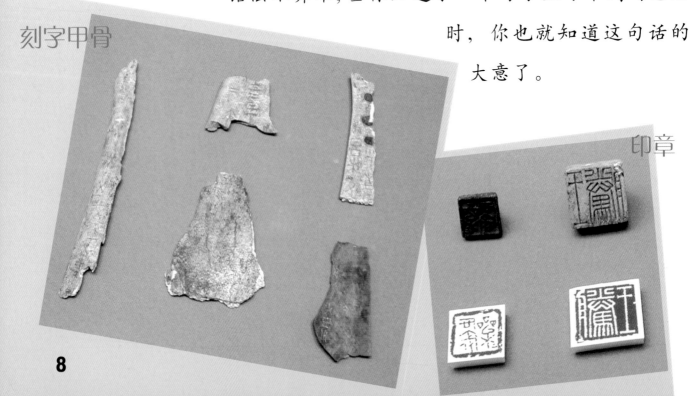

刻字甲骨

印章

□ 1) 汉语是联合国通用语言之一。

□ 2) 中国大陆现在仍然用繁体字。

□ 3) 日语中也用了一些汉字。

□ 4) 学会了 3,500 个常用字还看不懂一般的报纸。

□ 5) 汉字的读音是用拼音来表示的。

□ 6) 中文主要以单字来表达意思。

生词：

1. guān 官 organ (a part of the body); official
   guān fāng 官方 of the government; official

2. lián 联（聯）unite lián hé guó 联合国 the United Nations

3. tōng yòng 通用 in common use; general

4. zhī yī 之一 one of

5. mù qián 目前 present; current

6. lù 陆（陸）land dà lù 大陆 continent

7. shǐ 使 make; cause; use shǐ yòng 使用 use

8. jiǎn 简（簡）simple; simplify
   jiǎn tǐ zì 简体字 simplified Chinese character

9. réng 仍 remain; still réng rán 仍然 still; yet

10. fán 繁 numerous; multiply
    fán tǐ zì 繁体字 the original complex form of a simplified Chinese character

11. zǒng shù 总数 total

12. jiāng 将（將）be going to; will jiāng jìn 将近 close to; almost

13. cháng yòng 常用 in common use

14. dǒng 懂 understand; know

15. zhāng 章 chapter; section wén zhāng 文章 essay; article

16. jī hū 几乎 almost

17. dá 达（達）reach; extend; express biǎo dá 表达 express

18. yóu 由 cause; by; through; via

19. shì 示 show biǎo shì 表示 show; indicate

20. zǔ 组（組）form; group zǔ chéng 组成 make up; compose
    yóu ...... zǔ chéng 由……组成 be composed of

21. lì 例 example lì rú 例如 for example

22. dú 读（讀）read; attend school
    dú yīn 读音 pronunciation

23. pīn 拼 piece together pīn yīn 拼音 spell; phonetics

24. diào 调（調）accent shēng diào 声调 tone; note

25. tóng yīn cí 同音词 homophone

26. què 确（確）true; authentic zhèng què 正确 correct; right

27. fā yīn 发音 pronounce; pronunciation

28. yǔ fǎ 语法 grammar

29. jù 句 sentence jù zi 句子 sentence

30. dà yì 大意 general idea; main point

1 绕口令

（一）

小华学画花，

小花学画马。

小华教小花学画花，

小花教小华学画马。

（二）

白猫戴黑帽，

黑猫戴白帽。

白猫要戴黑猫的白帽，

黑猫要戴白猫的黑帽。

2 CD1 T6

（一）请在拼音上标声调

1	guan fang 官方	fan guan 饭馆
2	tong yong 通用	tou tong 头痛
3	jiang jin 将近	dou jiang 豆浆
4	kan dong 看懂	yanzhong 严重
5	you yu 由于	you ju 邮局
6	mai mai 买卖	du shu 读书
7	pin yin 拼音	yuebing 月饼
8	zheng que 正确	jue se 角色

注释： 拼音、声调

汉语拼音的声调标在韵母上。

－如果出现双元音，按照a、o、e、i、u、ü的次序，哪一个元音在前，就标在它的上面，例如，lǎo、léi、gǒu。

－当i和u一起出现时，总是标在后出现的韵母上，例如，huì、jiǔ。

（二）请填写拼音

1. 酒店（ jiǔ diàn ）   4. 熊猫（   ）   7. 造纸（   ）

2. 颜色（   ）   5. 参加（   ）   8. 知道（   ）

3. 应该（   ）   6. 开始（   ）   9. 风筝（   ）

3 模仿例子编对话(问同样的问题)

马克今年暑假来到北京参加汉语短训班。以下是唐老师和马克的对话：

唐老师：你叫什么名字？	马克：我叫马克。
唐老师：你是哪国人？	马克：我是德国人。
唐老师：你学了几年汉语了？	马克：我学了三年了。
唐老师：你是在哪儿学的汉语？	马克：我在学校学的。
唐老师：你在家里说什么语言？	马克：我在家里说德语。
唐老师：你写简体字还是繁体字？	马克：我写简体字。
唐老师：你在德国能不能看到中文电视节目？看得懂吗？	马克：我在德国看不到中文节目。
唐老师：你以前来过北京吗？	马克：没有，这是我第一次来北京。我爸爸来过好几次，他说我应该去看看长城、故宫和天安门。

4 朗读

1. 寺　诗人　　5. 早　草莓　　9. 广　金矿
2. 旁　英镑　　6. 及　年级　　10. 见　砚台
3. 考　烤鸭　　7. 方　脂肪　　11. 争　风筝
4. 少　炒菜　　8. 千　纤维　　12. 青　晴天

注释：汉字

- 中国发现的最早的汉字是甲骨文，有四千年的历史。甲骨文是人们最初刻在龟甲和兽骨上的文字。
- 汉字中有独体字（日），也有合体字（时），字与字组成词（时间）。
- 独体字中有一部分是象形字，例如：山（火）、水（水），而合体字大部分是形声字。在形声字里，只有大约40%的字是可以根据声旁来发音的，比如钟、筝等。

5 CD1 T7 填充

1. 英语在世界上是一种＿＿＿＿＿＿＿＿＿，但是现在学＿＿＿＿＿＿＿＿＿的人数越来越多了。

2. 世界上使用汉语的国家和地区主要有＿＿＿＿＿＿＿＿＿。

3. 拉丁美洲地区主要使用＿＿＿＿＿＿＿＿＿。

4. 奥地利、瑞士及＿＿＿＿＿一些国家主要使用＿＿＿＿＿＿＿＿＿。

5. ＿＿＿＿＿＿＿＿＿及加拿大等地使用＿＿＿＿＿＿＿＿＿。

6 用 2–3 分钟说一说你学汉语的经历（以下问题仅供参考）

1. 你的母语是什么？

2. 你从几岁开始学汉语？

3. 你的第一位汉语老师叫什么名字？

4. 你学的是简体字还是繁体字？

5. 你平时看中文报纸吗？

6. 你每天都写汉字吗？

7. 你觉得汉字难学吗？

8. 你觉得汉语发音难不难？

9. 你家里还有谁在学汉语？

10. 你有没有去过中国？

7 数笔画

例子：部 ② ① ⑨ ③ ④ ⑤ ⑥ ⑦ ⑧ ⑩ 十画

1. 他　2. 墙　3. 带　4. 围　5. 影

注释： 汉字的笔画

　　汉字是由笔画组合成的方块字。汉字笔画有二十多种，其中最基本的有五种：丶(点)、一(横)、丨(竖)、丿(撇)、㇊(折)。

8 猜字谜

1. 半朋半友

2. 由小到大

3. 大口套小口

4. 一物有千口，你有我也有

5. 天没有地有，你没有他有

6. 内中有人

7. 人在草木中

8. 一上一下

茶尖卡回

有也肉舌

13

注释： 查字典(2)

— 看到一个不认识的汉字，先要看是什么偏旁部首。汉字的偏旁部首有
三类。第一类是笔画部首，例如：丶、一、丨、八、乀；第二类是不成
字的偏旁部首，例如：辶、阝、宀、氵；第三类是独体字部首，例如：
大、小、天、木。

— 通过偏旁部首查字典有以下四步。我们用《汉英词典》来查"冰"字：

第一步："冰"是"冫"部。

第二步：在"部首检字"表内查到"冫"，二画(8)。

第三步：在"检字表"查到(8)"冫"部，然后数"冰"字右边"水"
的笔画是四画，再找到四画"冰"(43)。

第四步：翻到 43 页找到"冰"这个字。

9 查字典，并填写拼音及意思

1. 丽 ___lì___ ___pretty___

2. 丰 _____

3. 访 _____

4. 升 _____

5. 满 _____

6. 准 _____

7. 观 _____

8. 军 _____

9. 阅 _____

10. 绍 _____

谚 语

◆ 万事开头难。

◆ 熟能生巧。

◆ 严师出高徒。

阅读(二)　聪明的阿凡提

　　从前，新疆有一个非常聪明的人，叫阿凡提。那时，皇帝很坏，但没有人敢说什么，不然就会被杀头，但是阿凡提不怕。

　　有一天，皇帝派人把阿凡提抓来，问他说："有人说你很聪明，但我要考考你。如果你回答不出我的问题，我就杀了你。"阿凡提满不在乎地说："你考吧！"皇帝问："天上的星星有多少？"阿凡提回答说："跟你的胡子一样多。"皇帝又问："那我的胡子有多少？"阿凡提想了想，一只手指着他的小毛驴的尾巴，另一只手指着皇帝的下巴说："你的胡子跟这尾巴上的毛一样多。如果你不相信，那你就数数吧！"皇帝一听，气得说不出话来了。

生词：

1. gǎn　敢　courageous; daring; be sure
2. bù rán　不然　or else
3. pài　派　send; dispatch
4. tí　题(題)　topic; subject; title; problem
　　wèn tí　问题　question; problem
5. mǎn　满(滿)　full; packed
　　mǎn bú zài hu　满不在乎　not worry at all; not care in the least
6. hú zi　胡(鬍)子　beard; moustache or whiskers
7. lú　驴(驢)　donkey　máo lú　毛驴　donkey
8. xiāng xìn　相信　believe

专有名词：

1. ā fán tí　阿凡提　Effendi

15

第三课　中国饭菜

中国饭菜花样繁多，味道鲜美。由于中国地方大，因此各地的饭菜都有其特色。简单地说，东南沿海一带的人喜欢吃甜的，口味比较清淡；北方人爱吃咸的，口味比较重，做菜时喜欢放酱油，盐放得比较多；西南一带地区的人喜欢吃辣的；山西人爱吃酸的，做菜少不了放醋。

中国的北方人喜欢吃面食，人们把面粉做成各种食品，如饺子、包子、大饼、面条等等。特别是饺子，不但中国人爱吃，不少外国人也爱吃。中国的南方人喜欢吃米饭，过去一日三餐都离不开米饭。

中国菜有不同的烧法，有煎、炒、炸、蒸、煮等等。做中国菜事先要做很多准备工作，切菜比较讲究，菜可以切成块、条、丝、片、丁等。

中国人不喜欢吃生冷的东西，一般都把东西煮熟了吃。中国人吃肉比较少，蔬菜、豆制品吃得比较多。可以这么说，中国人的饮食习惯比较科学。

根据课文回答下列问题：

1. 中国哪个地区的人口味比较清淡？

2. 中国哪个地方的人口味比较重？

3. 中国哪个地区的人喜欢吃辣的？

4. 中国哪个省份的人喜欢吃酸的？

5. 中国的北方人和南方人的主食分别是什么？

6. 中国菜有哪几种主要烧法？

生词：

① huā yàng fán duō 花样繁多 of all shapes and colours

② wèi 味 taste; flavour　wèi dao 味道 taste; flavour
kǒu wèi 口味 a person's taste

③ xiān měi 鲜美 delicious; tasty

④ yóu yú 由于 owing to; due to

⑤ cǐ 此 this　yīn cǐ 因此 so; for this reason

⑥ tè sè 特色 characteristic; distinguishing feature

⑦ jiǎn dān 简单 simple

⑧ yí dài 一带 surrounding area

⑨ dàn 淡 thin; light; tasteless
qīng dàn 清淡 light; not greasy or strongly flavoured

⑩ xián 咸(鹹) salty

⑪ jiàng yóu 酱油 soy sauce

⑫ yán 盐(鹽) salt

⑬ dì qū 地区 area; district; region

⑭ là 辣 peppery; hot; (of smell or taste) burn

⑮ liǎo 了 can; end　shǎo bu liǎo 少不了 cannot do without

⑯ cù 醋 vinegar

⑰ miàn shí 面食 pasta; food from wheat flour

⑱ fěn 粉 powder; pink　miàn fěn 面粉 flour

⑲ dà bǐng 大饼 a kind of large flatbread

⑳ lí kāi 离开 leave　lí bu kāi 离不开 cannot do without

㉑ jiān 煎 fry in shallow oil

㉒ zhēng 蒸 steam

㉓ zhǔ 煮 boil; cook

㉔ shì xiān 事先 in advance; beforehand

㉕ zhǔn 准(準) allow; accurate

㉖ bèi 备(備) be equipped with　zhǔn bèi 准备 prepare

㉗ qiē 切 cut

㉘ jiǎng 讲(講) speak; say; tell

㉙ jiū 究 study carefully
jiǎng jiu 讲究 be particular about; strive for

㉚ shú/shóu 熟 ripe; cooked

㉛ zhì 制(製) work out; control; system
dòu zhì pǐn 豆制品 bean products

㉜ guàn 惯(慣) be used to　xí guàn 习惯 be accustomed to

17

1 调查

问题	学 生			
1. 你喜欢吃甜的东西吗？				
2. 你喜欢吃咸的东西吗？				
3. 你喜欢吃辣的东西吗？				
4. 你喜欢吃酸的东西吗？				
5. 你喜欢吃油炸食品吗？				
6. 你喜欢吃清淡的饭菜吗？				
7. 你喜欢吃口味重的菜吗？				
8. 你吃过豆制品（豆浆、豆腐、豆腐干、豆腐皮等等）吗？				

2 说一说

盘子里有什么？

a. 白萝卜丝   e.

b. 豆腐干丝   f.

c.   g.

d.   h.

18

3 模仿例子编对话

服务员：金光饭店。你好！

张强：我要订五个人的座位。

服务员：什么时间？

张强：这个星期六，中午12:30。

服务员：能不能告诉我你的
名字和电话号码？

张强：我姓张，弓长张。我的
手机号码是135 0198 0643。

服务员：好。张先生，这个
星期六，中午12:30，
一张五个人的桌子。

张强：对了。谢谢！

服务员：不客气。再见！

张强：再见！

该你了！

你要订：一张12个人的桌子

时间：下星期六，晚上6:30

姓名：胡德贵

电话号码：5574 1548（宅）、136 0187 8493（手机）

CD1 T10 在适当的空格内打 ✓

1. 中国人做饺子一般放 | 饺子皮 | 白菜 | 羊肉 | 猪肉 | 香油 | 醋 。

2. 三明治里有 | 奶酪 | 花生酱 | 黄瓜 | 西红柿 | 鸡蛋 。

3. 春卷里有 | 面粉 | 猪肉 | 胡萝卜 | 粉丝 | 卷心菜 。

4. 煮鸡汤可以放 | 咸肉 | 菜花 | 鸡 | 火腿 | 豆腐皮 。

5. 水果沙拉里有 | 苹果 | 梨 | 西瓜 | 草莓 | 葡萄 。

5 动手做做看

"西红柿炒蛋"是这样做的，回家试试看。以下是做这个菜的步骤：

1. 把西红柿洗干净，切块儿

2. 准备好葱，切成葱花

3. 打两只鸡蛋，放盐、葱花

4. 把锅烧热，加油

5. 等油烧热后，放入打好的鸡蛋，炒几下，然后出锅

6. 再往锅里加油，油热后，放入西红柿，加盐和糖，加一点儿水，煮一下儿

7. 放入炒好的蛋，再炒几下，放入葱花，然后出锅

6 模仿例子编对话

李先生一家四口去一家上海饭店吃饭：

服务员：先生，你们一共几位？

李先生：四位。

服务员：请跟我来。请坐。
　　　　几位想喝些什么？

李先生：两杯矿泉水、一杯桔子汁和一杯啤酒。

服务员：请问要不要先点菜？

李先生：可以。来一个清炒虾仁、一个炸带鱼、一个青菜豆
　　　　腐皮、一个麻辣豆腐，再来一份春卷、一个葱油饼和一
　　　　盘蛋炒饭。麻辣豆腐不要太辣。

服务员：好，请等一会儿。

（十五分钟后服务员把菜端上桌子。）

服务员：菜都到齐了。请慢用！

李先生：谢谢！

该你了！

你们四个人去饭店吃饭。你们会点：炒三丝、红烧鱼、糖
醋排骨、炒青菜、海带丝、水饺、可乐、啤酒……

7 CD1 T11 排列以下图片

8 用 1－2 分钟说一说你吃过哪些中国饭菜(以下问题仅供参考)

1. 你吃过中国菜吗？吃过什么？你喜欢吃中国菜吗？

2. 你和家人常常去饭店吃饭吗？去哪家饭店？

3. 你吃过饺子吗？你喜欢吃吗？

4. 你有没有吃过四川菜？你喜欢吃辣的吗？

5. 你喜欢吃面食还是米饭？

6. 你常吃豆制品吗？吃哪些？

7. 你们家一般吃中餐还是西餐？
   谁做饭？他／她做的哪个菜
   最好吃？

谚 语

◆ 病从口入，祸从口出。

◆ 三思而后行。

◆ 经一事，长一智。

阅读(三) 木兰从军

CD1 T12

从前，有个女子叫木兰，她又聪明又能干。她爸爸年纪大了，弟弟年纪还小，所以家里的活都是她干的。

有一年，边疆要打仗了。每家每户都要派人去当兵打仗，但是爸爸和弟弟都不能去。木兰想来想去，最后只好女扮男装，替父从军了。

一转眼，仗打了12年。在这12年里，木兰多次立功，后来还当上了将军。仗打完了，几个士兵陪木兰回家。回到家里，等木兰换完衣服从房间里走出来时，士兵们简直不敢相信自己的眼睛！他们怎么也没有想到，木兰原来是个女的。

生词:

1. lán 兰(蘭) orchid
2. jūn 军(軍) armed forces; army
   cóng jūn 从军 join the army
3. néng gàn 能干 able; capable
4. jì 纪(紀) record; age; period　nián jì 年纪 age
5. jiāng 疆 boundary; border
   biān jiāng 边疆 border area; frontier
6. zhàng 仗 battle; war　dǎ zhàng 打仗 fight; go to war
7. bīng 兵 weapons; army　shì bīng 士兵 soldier
   dāng bīng 当兵 be a soldier; serve in the military
8. xiǎng lái xiǎng qù 想来想去 give sth. a good deal of thought

9. bàn 扮 be dressed up as
   nǚ bàn nán zhuāng 女扮男装 a woman disguised as a man
10. tì 替 take the place of
11. zhuǎn yǎn 转眼 in an instant
12. lì gōng 立功 win honour; render outstanding service
13. jiāng jūn 将军 general
14. péi 陪 accompany
15. jiǎn zhí 简直 simply

专有名词:

1. mù lán 木兰 Mulan

第二单元　旅游

第四课　香港、澳门游

中国旅行社

7月1日—8月31日
每星期五出发

北京→香港、澳门八天团

北京出发：10:30 在北京西站乘坐京九线直通车（软卧，四人一
　　　　　包间，火车上设有餐车和洗手间）

　　到达：13:15（第二天）九龙火车站（香港）

回程出发：10:30 在香港国际机场乘坐南方航空公司班机

　　到达：13:20 北京首都国际机场

◆ 行李不得超过20公斤

◆ 代办港澳通行证（另收费）

◆ 酒店：四星级太平洋酒店或同级酒店

◆ 团费：人民币4,500元，包括一日三餐、住宿、机票、火车票、船票和门票

◆ 行程包括参观港、澳的名胜及旅游景点、逛街购物等活动

◆ 报名日期：出发前两个星期

以下是电话对话：

王先生：您好！中国旅行社。

张小姐：我想去香港、澳门旅游七、八天左右。我想七月五号去。你们有没有这样的团？请你给我介绍一下。

王先生：有一个八天团去香港、澳门，刚好是七月五号出发，先坐京九线的直通车到香港九龙，回程乘坐南方航空公司的班机。

张小姐：团费多少钱？

王先生：4,500块，包括机票、火车票、船票、四星级旅馆住宿、一日三餐和景点门票。

张小姐：旅行社代办护照、签证吗？

王先生：去香港、澳门不需要护照，只需办一个港澳通行证就行了。我们可以帮你办，但要另收300块。

张小姐：好吧！什么时候报名？

王先生：出发前两个星期。

根据对话判断正误：

- ☐ 1) 张小姐要去港、澳地区旅游。
- ☐ 2) 她不想自助旅游，她想参加旅行团。
- ☐ 3) 如果参加这个团，她会先乘飞机去香港，然后坐火车回北京。
- ☐ 4) 旅行团费包括食宿。
- ☐ 5) 旅行社可以为张小姐办港澳通行证，但是要另外收费。
- ☐ 6) 如果张小姐想参加这个旅行团，她得今天报名。

生词：

1. 社 shè agency; society　旅行 lǚ xíng travel
   旅行社 lǚ xíng shè travel agency
2. 出发 chū fā set out
3. 线（綫）xiàn thread; string; route; line
   京九线 jīng jiǔ xiàn Beijing-Kowloon Railway
4. 直通车 zhí tōng chē through train
5. 软（軟）ruǎn soft; flexible
   软卧 ruǎn wò sleeping carriage with soft berths
6. 餐车 cān chē dining car
7. 洗手间 xǐ shǒu jiān bathroom
8. 到达 dào dá arrive; reach
9. 回程 huí chéng return trip
10. 乘 chéng ride; multiply
11. 航 háng boat; ship; navigate　航空 háng kōng aviation
12. 班机 bān jī airliner; regular air service
13. 际（際）jì border; boundary　国际 guó jì international
14. 行李 xíng li luggage
15. 代办 dài bàn do sth. for sb.
16. 护照 hù zhào passport
17. 签（簽）qiān sign; autograph

18. 证（證）zhèng prove; testimony　签证 qiān zhèng visa
    通行证 tōng xíng zhèng pass; permit
19. 收费 shōu fèi collect fees; charge
20. 星级 xīng jí star (used in the ranking of hotels)
21. 宿 sù lodge for the night
    住宿 zhù sù stay; get accommodation
22. 行程 xíng chéng route or distance of travel
23. 观（觀）guān look at; watch; sight; view
    参观 cān guān visit
24. 旅游 lǚ yóu tour; toruism
25. 景 jǐng view; scenery　景点 jǐng diǎn scenic spots
26. 逛 guàng stroll; roam
27. 街 jiē street　逛街 guàng jiē roam the streets
28. 购（購）gòu buy　购物 gòu wù shopping
29. 报名 bào míng sign up
30. 日期 rì qī date
31. 以下 yǐ xià below
32. 对话 duì huà conversation
33. 介 jiè be situated between
34. 绍（紹）shào carry on; continue　介绍 jiè shào introduce

26

1 模仿例子编对话

在上海火车站售票处

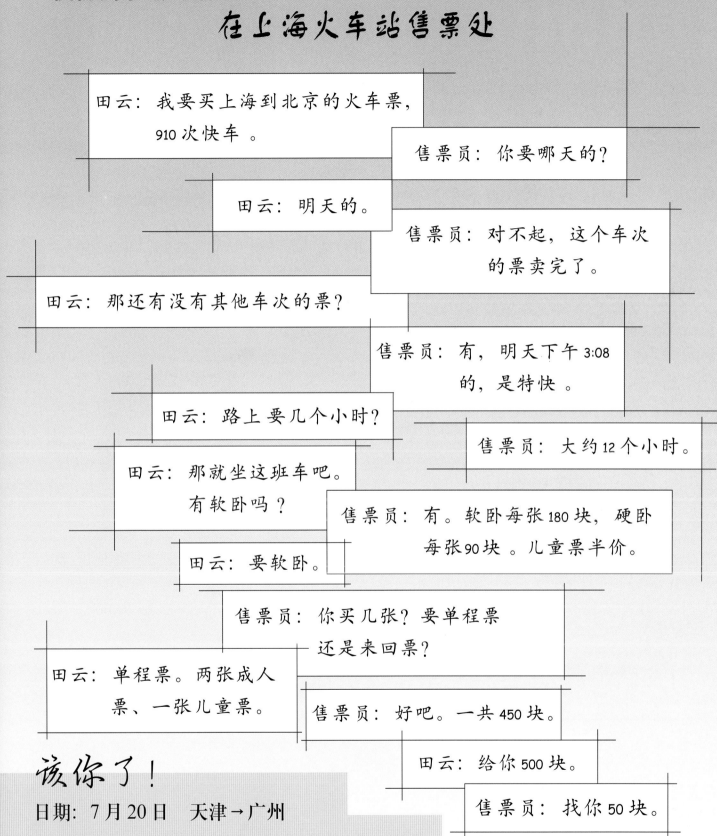

田云：我要买上海到北京的火车票，910次快车。

售票员：你要哪天的？

田云：明天的。

售票员：对不起，这个车次的票卖完了。

田云：那还有没有其他车次的票？

售票员：有，明天下午 3:08 的，是特快。

田云：路上要几个小时？

售票员：大约12个小时。

田云：那就坐这班车吧。有软卧吗？

售票员：有。软卧每张180块，硬卧每张90块。儿童票半价。

田云：要软卧。

售票员：你买几张？要单程票还是来回票？

田云：单程票。两张成人票、一张儿童票。

售票员：好吧。一共450块。

田云：给你500块。

售票员：找你50块。

该你了！

日期：7月20日　天津→广州

南方航空公司SA205

单程票：头等舱 ¥1,500　商务舱 ¥1,000　经济舱 ¥730

（2－12岁儿童 75% 票价）

2 CD1 T14 在适当的空格内打 √

1. 房间里的 **冷气机** 电风扇 **暖气片** 坏了。

2. 房间里没有 冷水 **热水** 汽水 。

3. 走廊 **楼上** 隔壁 很吵。

4. 张太太打电话给 经理 服务台 旅行社 。

5. 服务员说会给她 修房间 换房间 **收拾房间** 。

3 说一说

长途旅行时，你喜欢乘坐什么交通工具？为什么？

例子： 坐飞机很快，可以睡觉、听音乐、看电视，可以交到朋友。但飞机上活动空间小，不能走动。飞机上的饭菜有时不合口味。

该你了！

1. 火车

2. 旅游巴士

3. 游船

参考词语：

贵	游泳	听音乐	很安静	空间很小
快	睡觉	看风景	有餐车	跟别人聊天
安全	太闷	看电视	人太多	看不到风景
便宜	开舞会	晒太阳	饭不好吃	厕所很干净
太慢	交朋友	吃东西	不能走动	

4 模仿例子编对话

孙国立（英国人）要去香港旅游。以下是他跟一位旅行社工作人员唐先生的对话：

唐先生：你好！

孙国立：我想知道香港能不能用英镑。

唐先生：不行。你得把英镑换成港币。

孙国立：在香港，我能不能租车旅行？

唐先生：那当然可以。

孙国立：香港的汽车是在路左边开还是在右边开？

唐先生：在左边开。

孙国立：还有，我在香港说英语别人能听懂吗？

唐先生：在香港，大部分人能说英语。我想问题不大。

孙国立：在香港，我可以用信用卡买东西吗？

唐先生：当然可以。你也可以带旅行支票去，在当地银行换成港币。

该你了！

假设你是一个美国人，要去中国旅行。

5 CD1 T15 选择正确答案

(一)

1. a. 上海 → 香港
   b. 香港 → 上海
   c. 香港 → 海口

2. a. MA 903
   b. AK 903
   c. KA 903

3. a. 九号登机口
   b. 十九号登机口
   c. 十号登机口

(二)

1. 把手提行李放在
   a. 座位上
   b. 走廊
   c. 行李箱内

2. 飞机起飞时
   a. 要放下小桌板
   b. 要系好安全带
   c. 不能用厕所

3. 飞机起飞时
   a. 不可以玩电子游戏
   b. 可以使用电脑
   c. 可以用手机

6 说一说

假设你的一个朋友要去你的国家旅游,你怎样回答以下这些问题?

1. 你们那里交通怎么样?

2. 天气怎么样?

3. 可以住在哪儿?

4. 有什么玩的地方 / 名胜?

5. 有什么特产可以买?

6. 那里的人说什么语言?

7. 用什么货币?

8. 那里的自来水可不可以直接饮用?

9. 那里的生活费用高不高?

10. 去饭店吃饭贵不贵?

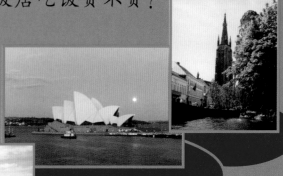

7 跟同桌编对话，商量去哪儿度假

旅行团：

東京购物、迪士尼乐园四天游 $4,699

（12月1日—12月30日）

伦敦观光旅游六天团 $8,999

（11月1日—12月1日）

巴黎购物七天团 $12,290

（12月1日—12月31日）

首尔滑雪青年团五天游 $5,298

（11月1日—12月31日）

纽约市内观光购物七天团 $9,998

（11月20日—12月30日）

条件：

◆ 你们两个人在香港

◆ 每人有 $10,000

◆ 有十天假期
（12月20—30日）

◆ 你们从右边的广告
中选一个旅行团一
起去旅行

参考句子：

－团费太贵了。

－我很想去迪士尼乐园玩玩。

－巴黎的时装很漂亮，我很想去。

－我倒很想去伦敦，只是时间不对。

－我不想参加巴黎购物团，因为我的钱不够。

－纽约我已经去过好几次了，我不想再去了。

－我不会滑雪，再说我已经去过韩国好几次了。

－我不想去纽约，但是我想去美国的其他城市。

－听说首尔的滑雪场很好，价钱也不算贵，我很想去。

8 用2-3分钟说一说你最喜欢的一个城市(以下问题仅供参考)

1. 你去哪些城市旅游过?

2. 你最喜欢哪个城市?那个城市在哪个国家?

3. 那是个什么样的城市?(新/老城市、人口、环境)

4. 那里的天气怎么样?(一年四季)

5. 那里的交通怎么样?

6. 那里的生活水平高不高?东西贵不贵?

7. 那里的人住什么样的房子?

8. 那个城市有哪些名胜?

9. 那里有什么特产?

10. 你今后还会去那个城市吗?

参考词语:

脏
很穷
楼房
洋房
干净
暖和
夜生活
歌舞厅
不安全
很富有
风景如画
游人太多
饭菜好吃
购物天堂
交通不便
路不好走
夜景很美
酒店一般
中等城市
新/老城市
市民很友好
生活水平高
有很多名胜

谚 语

◆ 活到老,学到老。

◆ 一寸光阴一寸金,寸金难买寸光阴。

◆ 少壮不努力,老大徒伤悲。

阅读(四)　三个和尚

　　从前，有个小和尚走了一天的路，最后看见山坡上有座庙，便走了进去。庙里没人，但是有锅、碗、勺、筷子和水桶，他很高兴，便住了下来。他渴了，就去山坡下的小河里挑水。挑水上山可累了，可是没有办法，不然的话，他就没有水喝。

　　过了几天，有位瘦和尚走过这儿，看见这座庙，也觉得这里是个好地方，要求住下来，小和尚答应了。瘦和尚渴了，想让小和尚去挑水，小和尚不肯，他们吵了一架。最后，他们俩一起下山去抬水。

　　又过了几天，一位胖和尚也来到这座庙里住下。他渴了，便让小和尚和瘦和尚去抬水。他们不肯，于是三个人吵了起来，谁也不肯下山去挑水。到了晚上，庙里突然起火了。为了救火，三个人都跑到山下挑水。他们一起合作把火扑灭了，保住了他们住的地方。

生词:

1. shàng 尚 esteem; still; yet　hé shang 和尚 Buddhist monk
2. shān pō 山坡 hillside
3. guō 锅(鍋) pot; pan; cauldron
4. sháo 勺 spoon
5. tǒng 桶 bucket　shuǐ tǒng 水桶 bucket
6. tiāo 挑 choose; carry on the shoulder with a pole
7. yāo qiú 要求 ask; demand; require
8. dā ying 答应 answer; agree
9. kěn 肯 agree; be willing to
10. chǎo 吵 make a noise　chǎo jià 吵架 quarrel
11. tái 抬 lift; raise; carry
12. qǐ huǒ 起火 (of fire) break out
13. jiù 救 rescue; save
14. hé zuò 合作 work together
15. pū 扑(撲) throw oneself on or at
16. miè 灭(滅) (of a light, fire, etc.) go out
    pū miè 扑灭 put out
17. bǎo 保 protect; defend; preserve

$8,000 港币

暑假北京普通话夏令营
欢迎 12—15 岁学生报名参加

目的： 去北京学习普通话，进一步了解中国的历史、文化及风土人情。

费用包括： 学费、食宿、机票、入场费。

夏令营安排： 上午 8:30–12:30：学汉语（星期一 — 星期五）

下午 2:00 以后到晚上：

星期一、三、五学习中国文化，包括绘画、剪纸、书法、武术、太极拳等。

星期二、四及周末参观北京的名胜古迹，例如颐和园、天坛、故宫、长城、天安门等。

*备注： 如有兴趣，还可以安排访问当地的中、小学。

住宿： 全程住宿于北京大学的留学生楼。两人一间，内设有浴室、厕所、电话、电视机、空调等生活必需设施。

*备注： 打长途电话要自付电话费。

CD1 T17 以下是老师跟同学们的对话：

老师：我们学校暑假会组织夏令营去北京学普通话。大家有没有兴趣？

学生1：什么时候去？去多长时间？

老师：7月15号到8月2号，一共三个星期。

学生2：要多少钱？

老师：大概 8,000 块港币，包括学费、机票、食宿、景点门票等等。

学生3：是不是每天都有普通话课？

老师：每星期一到星期五上午上四个小时的课，下午两点到晚上及周末会有其他活动。

学生2：有什么活动？

老师：我们要学武术、剪纸、绘画，还要去参观北京的名胜古迹，到时会有导游陪你们去。

学生1：我们住在哪里？

老师：我们住在北大的留学生宿舍楼。

学生3：我们是不是每天都吃中餐？

老师：我们大部分时间吃中餐，你们可以品尝到各种北京菜及风味小吃。如果你们想吃西餐，我们也可以安排去吃西餐。

学生2：那我们什么时候报名？

老师：当然是越早越好。

根据课文回答下列问题：

1. 谁可以参加普通话夏令营？

2. 团费包不包括景点门票？

3. 参加这个团的学生周末要上普通话课吗？

4. 星期一、三、五下午学生们做什么？

5. 参加这个团的学生会住在哪儿？几个人住一个房间？

6. 团费是不是包括长途电话费？

生词：

1. xià lìng yíng 夏令营 summer camp
2. yíng 迎 go to meet　huān yíng 欢迎 welcome
3. jìn yí bù 进一步 further
4. jiě 解 explain; interpret　liǎo jiě 了解 understand; find out
5. qíng 情 feeling　fēng tǔ rén qíng 风土人情 local customs
6. fèi yòng 费用 expense
7. xué fèi 学费 tuition
8. shí sù 食宿 board and lodging
9. rù 入 enter　rù chǎng 入场 admission
10. ān pái 安排 arrange
11. huì 绘(繪) paint; draw　huì huà 绘画 drawing; painting
12. jiǎn 剪 scissors; cut (with scissors)　jiǎn zhǐ 剪纸 paper-cut
13. shū fǎ 书法 calligraphy
14. wǔ 武 military　wǔ shù 武术 martial art
15. quán 拳 fist　tài jí quán 太极拳 Taichi
16. jì 迹 mark; trace
   míng shèng gǔ jì 名胜古迹 scenic spots and historical sites
17. yí hé yuán 颐(頤)和园 Summer Palace

18. tiān tán 天坛(壇) Temple of Heaven
19. zhù 注 notes　bèi zhù 备注 remarks
20. fǎng 访(訪) visit　fǎng wèn 访问 visit; interview
21. dāng dì 当地 local
22. liú 留 remain; stay; leave behind
   liú xué shēng 留学生 student studying abroad
23. tiáo 调 adjust　kōng tiáo 空调 air-conditioner
24. bì 必 must; have to　bì xū 必需 necessary; essential
25. tú 途 way; road; route
   cháng tú diàn huà 长途电话 long-distance call
26. zhī 织(織) weave; knit　zǔ zhī 组织 organize
27. gài 概 general idea
   dà gài 大概 general idea; probably
28. dǎo 导(導) lead; guide　dǎo yóu 导游 tourist guide
29. shè 舍 house; hut　sù shè 宿舍 dormitory
30. cháng 尝(嚐) taste　pǐn cháng 品尝 taste; sample
31. fēng wèi 风味 special flavour
32. dāng rán 当然 certainly; of course

1 说一说

暑假你有两个月的时间，
你打算怎样安排?

- 旅游
- 夏令营
- 做家教
- 看小说
- 看电视
- 画画儿
- 看望亲友

- 在家休息
- 每天练琴
- 做暑期工
- 补习功课
- 学一门语言
- 学一种乐器
- 上体育训练班

🍄 JULY　七月

7月5日－12日参加夏令营

🐟 AUGUST 八月

2 CD1 T18 在适当的空格内打 ✓

1. 在花园酒店当经理助手，你得每天工作 八　六　十　小时，

　你得会说　英语　法语　上海话 。

2. 在牙医诊所，你的工作是　上网　接电话　打字　　。

3. 如果你的母语是英语，你可以教 中学生　小学生　大学生

　英语。

4. 在长乐公司做秘书，你的工作包括 复印文件 发电邮 接电话 。

3 模仿例子编对话

程景文：我找到了一份暑期工作。

高健新：是吗？干什么？

程景文：在一个游乐场里开电动车。你觉得怎么样？

高健新：当然不错了！一小时多少钱？

程景文：每小时 20 块。

高健新：还不错。干多久？

程景文：先干两个星期。你有没有找到暑期工作？

高健新：还没有。我看到几个广告，已发了信。

程景文：你想干什么？

高健新：我想帮小学生补习。

各种各样的暑期工：

- 看孩子
- 教跳舞
- 教滑冰
- 去养老院做义工
- 去医院做义工
- 去外卖店当帮手
- 做电话接线员
- 去公司干杂活
- 帮小学生补习（中文、英文、数学等等）

4 CD1 T19 在适当的空格内打 ✓

1. "英、法游学之旅" 的目的是

提高英语水平	游览英、法名胜	提高法语水平

。

2. 导游、领队会说

英语、法语	英语、粤语	法语、德语

。

3. 学生会住在

酒店	大学宿舍	法国人家里

。

4. 每周上

12	20	22

节课。

5. 每班最多

15	10	12

人。

6. 学生会游览英、法名胜，比如

白金汉宫	凡尔赛宫	迪士尼乐园

。

7. 出发日期是

7月25号	7月5号	7月15号

。

8. 团费

$15,000	$20,000	$12,000

。

5 设计一个有特色的夏令营，用 2 分钟做一个介绍，内容必须包括

- 时间、地点

- 人数、年龄

- 师生比例

- 主要活动

- 费用、食宿安排

6 编对话（以下问题仅供参考）

假设
你申请了

一份暑期工作，

你去面试。

1. 你的第一语言是什么？你会说哪几种语言？

2. 你以前做过暑期工作吗？做过什么工作？

3. 你数学好不好？你会用电脑吗？

4. 你用过中文软件吗？用什么软件？

5. 你打字快不快？

6. 你英文写作水平怎么样？

7. 你有什么爱好？

8. 你喜欢跟小孩子在一起吗？

9. 你喜欢一个人工作还是跟别人合作？

10. 你每周想工作几天？每天几点到几点？

11. 你能在这儿工作多长时间？

12. 你家离这儿远不远？怎么上班？

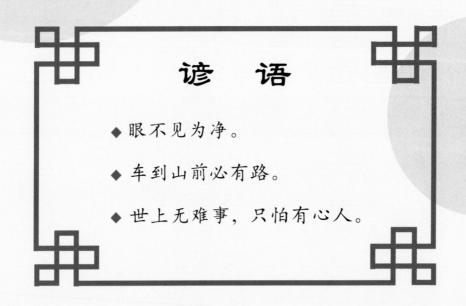

谚 语

◆ 眼不见为净。

◆ 车到山前必有路。

◆ 世上无难事，只怕有心人。

阅读（五）　愚人买鞋

　　从前，有个愚人想去集市买双新鞋。他怕买来的鞋不合适，便先用尺子量了量脚，剪了一个纸样。

　　愚人走了十几里路，来到集市上。那天赶集的人很多，十分热闹。集市上卖鞋的人也不少，大部分鞋子不是料子不好，就是式样不好，愚人都不喜欢。后来他看到了一双鞋子，他很喜欢，可是他突然想起纸样忘在家里了。他连忙一路跑回家，拿了纸样，又回到了集市。可惜这时集市已经散了，愚人没有买到鞋。后来有人问他是否为自己买鞋，他说是。又有人问他为何不用脚试穿一下，他说他只相信纸样，不相信自己的脚。

生词：

① 愚 yú foolish; stupid　愚人 yú rén fool

② 纸样 zhǐ yàng paper pattern (for tailoring)

③ 赶集 gǎn jí go to a fair

④ 部分 bù fen part; section
　大部分 dà bù fen majority; most parts

⑤ 料 liào material
　料子 liào zi material

⑥ 忘 wàng forget

⑦ 连忙 lián máng quickly

⑧ 惜 xī have pity on
　可惜 kě xī it is a pity

⑨ 散 sàn come loose; fall apart

⑩ 否 fǒu no; deny
　是否 shì fǒu whether or not

⑪ 何 hé what; which; how; why
　为何 wèi hé why

41

第六课 世界名城

CD1 T21

1 伦敦

伦敦是英国的首都。在伦敦旅游十分方便，一张地铁票便可带你跑遍全城，游览市内的风景、名胜。你可以参观著名的大英博物馆、大笨钟、国会大厦、伦敦塔桥、白金汉宫、首相府等等。伦敦市区最繁华的商业街是牛津街。

2 巴黎

巴黎是法国的首都，是一座历史名城，也是世界最著名、最繁华的大都市之一。一提起巴黎，人们自然就会想到艾菲尔铁塔、闻名于世的罗浮宫、古老的巴黎圣母院等名胜。另外，到了巴黎，人们一定会购买欧洲名牌时装、香水、化妆品及其他饰物。

42

3 纽约

有700多万人口的纽约市是美国最大的城市，也是美国商业、金融、娱乐中心，是每个去美国观光游客的必到之处。纽约市的另一个名字叫"大苹果"。到了纽约，一定要参观的地方有联合国中心大楼、中央公园、第五大街、时代广场等，当然还有自由女神像。

4 东京

东京是日本的首都，同时也是日本政治、经济、文化、交通等各方面的中心。东京市区人口有1,200万，占全日本的十分之一。每天大约有200万人从东京周围的城市到东京来上班，使东京市中心白天热闹非凡。东京是个现代化的大都市，流行音乐、手机、电子游戏和很多年轻人喜爱的东西，都是从这里开始流行的。

根据课文回答下列问题：

1. 游览伦敦市区，乘坐什么交通工具最方便？
2. 在伦敦，你可以去哪里逛街、购物？
3. 在巴黎市区，哪个教堂最有名？
4. 在巴黎，你如果想看世界名画，你应该去哪儿？
5. 纽约的别名叫什么？
6. 为什么东京市中心白天非常热闹？

生词：

1. biàn 遍 all over; verbal measure word
2. lǎn 览（覽）look at; view
   yóu lǎn 游览 go sight-seeing; tour
3. zhù 著 write; book　zhù míng 著名 famous
4. bó 博 abundant; knowledgeable; gamble
   bó wù guǎn 博物馆 museum
   dà yīng bó wù guǎn 大英博物馆 Great British Museum
5. shà 厦（廈）a tall building
   dà shà 大厦 large buildings; mansions
   guó huì dà shà 国会大厦 House of Parliament
6. tǎ 塔 tower
7. qiáo 桥（橋）bridge　tǎ qiáo 塔桥 tower bridge
8. shǒu xiàng 首相 prime minister
9. fǔ 府 government office; official residence
10. fán huá 繁华 flourishing; bustling
11. dà dū shì 大都市 metropolis
12. tí qǐ 提起 mention
13. zì rán 自然 nature; natural
14. wén 闻（聞）hear; smell; famous　wén míng 闻名 famous
15. shèng 圣（聖）holy; sacred
    bā lí shèng mǔ yuàn 巴黎圣母院 Notre Dame
16. gòu mǎi 购买 buy
17. zhuāng 妆（妝）woman's personal adornments
    huà zhuāng pǐn 化妆品 cosmetics
18. shì 饰（飾）decorations
    shì wù 饰物 articles for personal adornment
19. yú 娱 amuse　yú lè 娱乐 entertainment
20. guān guāng 观光 go sight-seeing
21. yóu kè 游客 tourist
22. chù 处（處）place
23. yāng 央 centre　zhōng yāng 中央 centre
24. zì yóu 自由 freedom
25. nǚ shén 女神 goddess
    zì yóu nǚ shén xiàng 自由女神像 (US) Statue of Liberty
26. fán 凡 ordinary　fēi fán 非凡 extraordinary
27. xiàn dài 现代 modern times
    xiàn dài huà 现代化 modernize; modernization
28. shǒu jī 手机 mobile phone
29. diàn zǐ 电子 electronics
    diàn zǐ yóu xì 电子游戏 video game

专有名词：

1. dà bèn zhōng 大笨钟 Big Ben
2. bái jīn hàn gōng 白金汉宫 Buckingham Palace
3. ài fēi ěr tiě tǎ 艾菲尔铁塔 Eiffel Tower
4. luó fú gōng 罗浮宫 the Louvre
5. shí dài guǎng chǎng 时代广场 Times Square
6. lún dūn 伦敦 London
7. niú jīn 牛津 Oxford
8. bā lí 巴黎 Paris
9. niǔ yuē 纽约 New York

1 CD1 T22 在适当的空格内打 ✓

1. 杨天行计划在伦敦停留 [三] [五] [六] 天。

2. 他会去参观 [大英博物馆] [蜡像馆] [唐人街] 等地方。

3. 第四天他会乘火车去参观世界闻名的

   [帝国理工大学] [牛津大学] [剑桥大学] 。

4. 第五天他会租车去英国北部的 [伯明翰] [曼彻斯特] [爱丁堡] 。

5. 在那里他会去 [商业街] [餐馆] [中国城] 看望他多年

   不见的 [表妹] [表兄] [堂兄] 。

2 翻译

1. 这个茶壶使我想起了爷爷。

2. 他的话使我高兴起来了。

3. 这场病使他认识到健康非常重要。

4. 这次北京之行使我对中国文化有了
   进一步的了解。

5. 这场病使他瘦了很多。

6. 这部电影使她一夜之间成了国际巨星。

注释：

"使" make; cause; enable

这张照片使我想起了
童年的往事。

This photo makes me recall
my childhood.

3 说一说（以下问题仅供参考）

周游世界计划

▶ ▶ ▶

1. 你会从哪个国家开始？

2. 从几月份开始？一共花多长时间？

3. 你会乘坐什么交通工具？

4. 你会去哪些国家？在每一个国家会停留多久？

5. 你会在哪儿住宿？

6. 你在每个国家会做些什么不同的事情？

7. 你计划花多少钱？

8. 你是否会一个人去旅行？

9. 你在旅途中会买些什么？

10. 你在旅途中会记日记吗？

在地图上标出旅行路线

欧洲

北美洲

亚洲

非洲

南美洲

46

填字母（答案在下面找）

1. 孔亮亮的朋友介绍说，如果去纽约，他一定得去看＿＿＿，还要去＿＿＿购物。

2. 高朋今年暑假想去伦敦旅行，他第一天会去＿＿＿和＿＿＿游览。

3. 黄巧英从小就非常想去法国的巴黎，她最想亲眼看到＿＿＿，也想到＿＿＿看看。

4. 江超是在英国长大的华人子弟，他今年夏天要跟一个旅行团去北京参观＿＿＿、＿＿＿等名胜古迹。

5. 张建国是日本通，说一口流利的日语，他明年会跟父母一起去日本的东京游玩＿＿＿、＿＿＿等旅游景点。

a. 颐和园	b. 罗浮宫	c. 时代广场	d. 大笨钟	e. 巴黎圣母院
f. 富士山	g. 迪士尼乐园	h. 剑桥大学	i. 北海	j. 自由女神像
k. 艾菲尔铁塔	l. 玩具博物馆	m. 蜡像馆	n. 塔桥	o. 第五大街
p. 凡尔赛宫	q. 白金汉宫	r. 天坛	s. 富士急游乐场	t. 长城

5 用 1-2 分钟介绍你所居住的城市，内容应该包括

－人口、面积、语言
－气候、交通
－其他特色

谚　语

◆ 失败乃成功之母。

◆ 种瓜得瓜，种豆得豆。

◆ 有志者事竟成。

6 用"遍"、"次"填充

1. 我去过那家饭店两____。

2. 这部电影我看过四____了。

3. 这本书我想再看一____。

4. 张老师下午找过你两____。

5. 请同学们再听一____这个故事。

6. 我已经说了三____了,你还没有听见?

7. 我们再把课文读一____。

注释:

1. "遍" denoting an action from beginning to the end

这本小说我已经看过两遍了。

I have read this novel twice.

2. "次" time; occasion

我去过他家三次。

I have been to his home three times.

7 跟同桌编对话(以下问题仅供参考)

1. 你去过上海吗?

2. 你是什么时候去的?

3. 你跟谁一起去的?

4. 你在上海住在哪儿?住了多久?

5. 你游览了什么景点?

6. 你去购物了吗?去哪儿购物了?

7. 你有没有去参观那里的博物馆?参观了哪几个博物馆?看到了什么?

8. 你在上海乘坐什么交通工具?

9. 你对上海的印象如何?

上海
伦敦
柏林
巴黎
纽约
首尔
东京
多伦多
悉尼
北京

阅读(六) 塞翁失马

CD1 T24

相传古代在塞北住着一个老翁，他有一个儿子。一天，他家的一匹马走失了。村民们都来安慰他，他却说："你们怎么知道这不是一件好事呢？"过了几个月，那匹马回来了，还带来了一匹好马。村民们便向他祝贺。他说："你们怎么知道这不是祸根呢？"后来，他儿子因为骑马而摔断了腿。老翁又说这不一定是件坏事。果然不出所料，有一年边疆打仗，村里的年轻人都得去当兵，死伤很多。只有老翁的儿子因为腿断了而没去打仗，因此保住了性命。

生词：

1. sài 塞 a place of strategic importance
   sài běi 塞北 beyond the Great Wall
2. wēng 翁 old man
3. shī 失 lose
4. pǐ 匹 single; measure word
5. cūn 村 village　cūn mín 村民 villager
6. wèi 慰 comfort　ān wèi 安慰 comfort
7. hǎo shì 好事 good thing

8. hè 贺（賀）congratulate　zhù hè 祝贺 congratulate
9. huò 祸（禍）misfortune; disaster
   huò gēn 祸根 the root of the trouble
10. shuāi 摔 fall; tumble
11. huài shì 坏事 ruin sth.; bad thing
12. bù chū suǒ liào 不出所料 as expected
13. qīng 轻（輕）light　nián qīng rén 年轻人 young people
14. xìng mìng 性命 life (of a man or animal)

第三单元 家居生活

第七课 家谱

CD2 T1

中国人的称呼很复杂。你管你爸爸的爸爸叫祖父，也可以叫爷爷；管你爸爸的妈妈叫祖母，也可以叫奶奶；管爸爸的哥哥叫伯父，他的妻子叫伯母；管爸爸的弟弟叫叔叔，他的妻子叫婶婶；管爸爸的姐妹叫姑姑，姑姑结婚后叫姑妈，姑妈的丈夫叫姑夫。

你管妈妈的爸爸叫外祖父，北方人通常叫姥爷，南方人叫外公；管妈妈的妈妈叫外祖母，北方人通常叫姥姥，南方人叫外婆；管妈妈的兄弟叫舅舅，舅舅的妻子叫舅妈；管妈妈的姐妹叫阿姨，阿姨结婚后叫姨妈，姨妈的丈夫叫姨夫。

你和伯父、叔叔的孩子们是堂兄、弟、姐、妹，而你和姑妈、舅舅和姨妈的孩子们是表兄、弟、姐、妹。

如果你是男的，你就是你爷爷、奶奶的孙子，是你姥爷、姥姥的外孙。如果你是女的，那么你就是你爷爷、奶奶的孙女，是你姥爷、姥姥的外孙女。

祖父　　　　祖母　　　　外祖父　　　　外祖母

（爷爷）　　（奶奶）　　（姥爷、外公）（姥姥、外婆）

伯父　　　　叔叔　　　　姑姑　　　　父亲　　　　母亲　　　　姨妈　　　　舅舅

　　　　　　　　　　　　　　　　　（爸爸）　　（妈妈）

伯母　　　　婶婶　　　　姑夫　　　　　　　　　　　　　　姨夫　　　　舅妈

　　　　　　　　　　　哥　　　　　　　姐

堂哥　　　　堂姐　　　　　　　　　　　　　　　　　　　　表哥　　　　表姐

堂弟　　　　堂妹　　　　　　　　　　　　　　　　　　　　表弟　　　　表妹

 你

弟　　　　　　妹

爸爸的爸爸叫爷爷，　　叔叔的妻子叫婶婶。　　妈妈的兄弟叫舅舅，

爸爸的妈妈叫奶奶。　　爸爸的姐妹叫姑妈，　　舅舅的妻子叫舅妈。

爸爸的哥哥叫伯父，　　姑妈的丈夫叫姑夫。　　妈妈的姐妹叫姨妈，

伯父的妻子叫伯母。　　妈妈的爸爸叫外公，　　姨妈的丈夫叫姨夫。

爸爸的弟弟叫叔叔，　　妈妈的妈妈叫外婆。

生词：

1. pǔ 谱（譜）a record for easy reference
   jiā pǔ 家谱 family tree
2. hū 呼 breathe out; call　chēng hu 称呼 call; address
3. fù zá 复杂 complicated
4. guǎn jiào 管……叫…… call
5. zǔ 祖 grandfather; ancestor
   zǔ fù 祖父 (paternal) grandfather
   zǔ mǔ 祖母 (paternal) grandmother
   wài zǔ fù 外祖父 (maternal) grandfather
   wài zǔ mǔ 外祖母 (maternal) grandmother
6. bó 伯 father's elder brother
   bó fù 伯父 father's elder brother
   bó mǔ 伯母 wife of father's elder brother
7. qī 妻 wife　qī zi 妻子 wife
8. shū shu 叔叔 father's younger brother; uncle
9. shěn shen 婶（嬸）婶 wife of father's younger brother
10. gū 姑 father's sister; husband's sister
    gū gu 姑姑 father's (unmarried) sister
    gū mā 姑妈 father's (married) sister
    gū fu 姑夫 husband of father's sister

11. hūn 婚 wed; marry
    jié hūn 结婚 get married; be married
12. lǎo ye 姥爷 (maternal) grandfather
    lǎo lao 姥姥 (maternal) grandmother
13. wài gōng 外公 (maternal) grandfather
14. pó 婆 an old woman
    wài pó 外婆 (maternal) grandmother
15. jiù jiu 舅舅 mother's brother
    jiù mā 舅妈 wife of mother's brother
16. ā 阿 prefix used before a kinship term
17. yí 姨 mother's sister; aunt
    ā yí 阿姨 mother's (unmarried) sister; aunt
    yí mā 姨妈 mother's (married) sister
    yí fu 姨夫 husband of mother's sister
18. tángxiōng dì jiě mèi 堂兄/弟/姐/妹 cousins with the same surname
19. biǎoxiōng dì jiě mèi 表兄/弟/姐/妹 cousins with different surname
20. sūn 孙（孫）grandson; surname
    sūn zi 孙子 grandson　sūn nǚ 孙女 granddaughter
    wài sūn 外孙 daughter's son　wài sūn nǚ 外孙女 daughter's daughter
21. nà me 那么 in that way

1

CD2 T2 选择正确答案

1. 谁要结婚了？　　　　　a.叔叔 ☐　　b.伯伯 ☐　　c.舅舅 ☐

2. 谁进了医院？　　　　　a.外婆 ☐　　b.外公 ☐　　c.姨夫 ☐

3. 姥姥画什么画最出名？　a.国画 ☐　　b.钢笔画 ☐　　c.水彩画 ☐

4. 外婆哪天不工作？　　　a.星期一 ☐　　b.星期二 ☐　　c.星期五 ☐

5. 姑姑家在哪儿？　　　　a.上海 ☐　　b.大连 ☐　　c.南京 ☐

6. 堂姐考上了哪个大学？　a.香港大学 ☐　　b.北京大学 ☐　　c.交通大学 ☐

2

找一张照片，模仿例子编对话

程冲：这是谁？

方明：这是我爷爷。他已经退休了。他以前是一家电脑公司的经理。

程冲：站在他旁边的那位是不是你奶奶？

方明：是。她还在工作，她是老师。

方明：他是我叔叔，旁边那位是我婶婶，他们去年年初才结婚。

程冲：他们有没有孩子？

程冲：坐在他们前面的那个男的是谁？

方明：还没有。

3 模仿例子，描述你们学校的一位老师，然后让其他同学猜一猜

A: 她长得怎么样？

B: 她长得还可以。
她头发挺短的，
还是卷发。

A: 她身高大概有
多少？

B: 她的身高有一米
六五。

A: 她看上去有多大？

B: 她大概二十多岁。

A: 她今天穿什么衣
服？

B: 她身穿紫色的大衣，
头戴灰色的帽子，
脚穿紫色的皮鞋。

参考词语：

身材：　高　矮　相当矮　中等身材　苗条　胖　矮胖

年龄：　十几岁　二十出头　七、八岁　三十岁左右　不到三十岁

长相：　好看　漂亮　难看　一般　可爱　丑

头发：　直发　卷发　长发　短发　平头

脸：　　长脸　方脸　圆脸　瓜子脸

五官：　大眼睛　高鼻子　小嘴巴　大耳朵

4 CD2 T3 填充

	做什么工作？	在哪儿工作？
1. 叔叔	律师	
2. 婶婶		
3. 姑姑		
4. 姑夫		
5. 舅舅		
6. 舅妈		
7. 阿姨		
8. 姨夫		

5 根据你自己的情况回答下列问题

1. 你爷爷、奶奶还健在吗？他们是哪国人？他们现在住在哪儿？

2. 你外公、外婆还健在吗？他们是哪国人？他们现在住在哪儿？

3. 你有没有伯父／叔叔／姑姑？他们都做什么工作？现在住在哪儿？

4. 你有没有舅舅／姨妈？他们都做什么工作？现在住在哪儿？

5. 你有没有堂兄／弟／姐／妹？如果有的话，请介绍一下。

6. 你有没有表兄／弟／姐／妹？如果有的话，请介绍一下。

6 说一说

介绍你其中一个祖父／母或外祖父／母年轻时的情况。

你可以问你的父母亲，内容可以包括：

－长相　　　　－职业　　　　　－学历　　　　　－爱好

7 根据实际情况回答下列问题

1. 你是哪国人？

2. 你父母是哪国人？

3. 你在哪儿住的时间最长？

4. 你上一次是什么时候见到你爷爷、奶奶的？

5. 你最近见过你姥姥、姥爷吗？

6. 你觉得大家庭好还是小家庭好？为什么？

7. 你跟你堂／表兄、弟、姐、妹在一起的时候常常干什么？

8. 你跟你的邻居熟吗？

9. 在你的国家年轻人一般多大年纪结婚？

10. 他们要先定婚吗？

11. 他们一般在哪儿举行婚礼？

12. 你参加过婚礼吗？你在哪儿参加过谁的婚礼？

---

8 模仿例子，描述班里的一个同学，让大家猜一猜是谁

谚　语

◆ 画龙画虎难画骨，知人知面不知心。

◆ 路遥知马力，日久见人心。

◆ 有其父，必有其子。

他是个男生。他个子不高，但也不矮。他长得不胖不瘦，皮肤有点儿黑。他头发不长，是黑色的。他有大眼睛、高鼻子、大嘴巴。他不戴眼镜。

阅读（七） 愚公移山

CD2 T4

　　很久很久以前，有个叫愚公的人，他已经九十岁了。他家的门前有两座大山。有一天，愚公对全家人说："这两座大山堵住了我们的出路。我们大家一起努力，把大山搬走，以后出门就不用走弯路了。"家人都同意了。第二天，愚公就带着全家人动手开山了，有的人搬石块，有的人把泥土和石头运到海边，忙得不可开交。

　　有一个老汉叫智叟，他很精明。他见愚公一家人干得这样辛苦，就对愚公说："你为什么这么傻？你这么大年纪，还能活几年？你怎么有力气搬走这两座大山呢？"愚公回答说："你不明白。我老了，可是我还有儿子。儿子老了，还有孙子，孙子还会有儿孙。我们家子子孙孙一直干下去，为什么搬不走这两座大山呢？"智叟听后，也就无话可说了。

生词：

1. 移 yí move
2. 堵 dǔ block up
3. 出路 chū lù way out
4. 大家 dà jiā everybody
5. 傻（傻）shǎ stupid
6. 弯（彎）wān curved; bend
   弯路 wān lù crooked road
7. 开山 kāi shān cut into a mountain

8. 石块 shí kuài (piece of) stone
9. 泥 ní mud 泥土 ní tǔ soil
10. 石头 shí tou stone; rock
11. 不可开交 bù kě kāi jiāo be terribly busy
12. 老汉 lǎo hàn old man
13. 智 zhì wisdom; intelligence
14. 叟 sǒu old man
15. 精 jīng smart; skilled

16. 精明 jīng míng smart; shrewd
17. 辛 xīn hard; suffering
18. 苦 kǔ bitter; hardship
    辛苦 xīn kǔ hard; labourious

专有名词：

1. 愚公 yú gōng Foolish Old Man
2. 智叟 zhì sǒu Wise Old Man

57

第八课　养宠物

CD2 T5

　　杨诗远在1984年出生，属鼠，老鼠在中国的十二生肖中排在第一位。诗远从小就喜欢小动物，猴子、小花猫、兔子什么的，他都喜欢。他一直想在家里养一只宠物，可是他妈妈觉得养宠物太麻烦，又脏，所以不准他养。

　　今年春天，诗远家的一个亲戚知道他喜欢养动物后，就把一只刚出世的小狗送给了他。这只小狗长了一身黑色的卷毛、一双大大的眼睛、小小的鼻子，还有一对尖尖的耳朵，十分可爱。诗远一见到它就非常喜欢，连他妈妈也觉得这只狗很可爱。诗远求妈妈把它留下，起初妈妈不肯，但看到诗远那副可怜相，妈妈答应试试看。

　　诗远给小狗起名叫小黑。几个月后，小黑长大了很多。诗远每天定时喂小黑，一有空就跟它玩，每隔一、两个星期就给它洗一次澡，每天还要带小黑出去散步。小黑是一只既活泼又忠实的狗，它每天下午都会在门口等诗远回家。一见到诗远，小黑就会又叫又跳，高兴极了。

　　诗远体会到养宠物有好处，也有坏处。好处是宠物给他带来了很多快乐；坏处是他每天必须花时间去照顾它，有时还会给他添麻烦。

58

1. 诗远从小喜欢什么？

2. 妈妈为何不许他养宠物？

3. 是谁送给诗远一只小狗？

4. 诗远给小狗起了什么名字？

5. 诗远要经常为小狗做哪些事情？

6. 小黑是一只什么样的狗？

7. 养宠物有什么好处？有什么坏处？

生词：

1. 宠（寵）chǒng bestow favour on　宠物 chǒng wù pet

2. 属（屬）shǔ category; be born in the year of

3. 鼠 shǔ mouse; rat　老鼠 lǎo shǔ mouse; rat

4. 肖 xiào resemble; be like
   生肖 shēng xiào any of the 12 symbolic animals associated with a 12-year cycle, often used to denote the year of a person's birth

5. 猴子 hóu zi monkey

6. 兔子 tù zi rabbit

7. 麻 má tingling; numb; linen

8. 烦（煩）fán be annoyed　麻烦 má fan troublesome

9. 脏（髒）zāng dirty

10. 不准 bù zhǔn not allow

11. 戚 qī relative　亲戚 qīn qi relative

12. 出世 chū shì be born

13. 连……也…… lián ... yě ... even

14. 副 fù measure word

15. 怜（憐）lián pity　可怜 kě lián pitiful
    可怜相 kě lián xiàng a pitiable look

16. 起名 qǐ míng give a name

17. 定时 dìng shí at fixed time

18. 喂（餵）wèi feed

19. 散步 sàn bù take a walk

20. 既 jì since; now that
    既……又…… jì ... yòu ... both ... and; as well as

21. 泼（潑）pō splash; daring　活泼 huó po lively

22. 忠 zhōng loyal; honest　忠实 zhōng shí loyal; faithful

23. 体会 tǐ huì know from experience

24. 好处 hǎo chu advantage; benefit

25. 坏处 huài chu disadvantage; harm

26. 须（須）xū must; have to　必须 bì xū must; have to

27. 照顾 zhào gu look after

回答下列问题

十二生肖

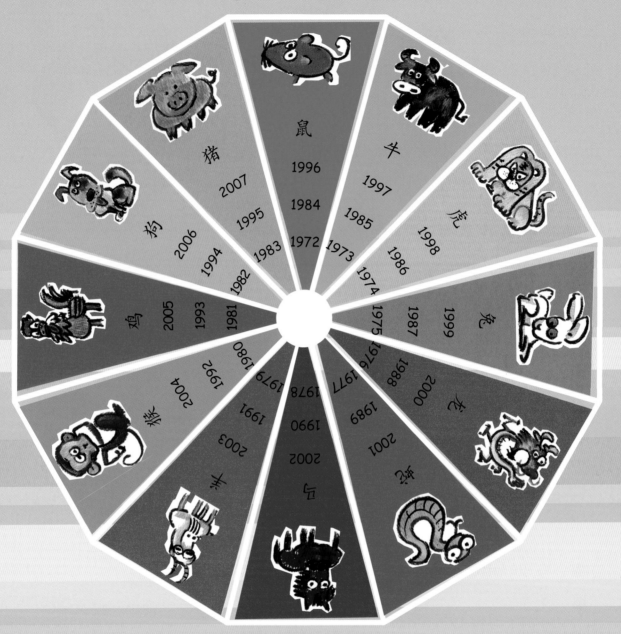

1. 你是哪年出生的？你属什么？

2. 1989 年出生的人属什么？他今年多大了？

3. 你爸爸是哪年出生的？他属什么？

4. 你妈妈是哪年出生的？她属什么？

5. 你们家谁年龄最大？他／她属什么？他／她今年多大年纪了？

6. 你们家谁年龄最小？他／她属什么？他／她是哪年出生的？

2 翻译

1. 他连自行车都不会骑。

2. 她连一支笔都没带。

3. 这部电影太好看了，连爸爸都看了三遍。

4. 外边太冷了，连哥哥都戴上了围巾。

5. 我今天忙得不得了，连午饭都没有时间吃。

6. 我连一分钱也没带，什么也买不成。

注释：

"连……也 / 都……"
even, express emphasis

连妈妈都喜欢这只小狗。
Even mum likes this puppy.

3 说一说

例子：

这只小花猫长得很可爱，有一对圆圆的大眼睛。它喜欢吃鱼。它白天睡觉，晚上出来捉老鼠。

4 CD2 T6 标号

谚　语

◆ 与人方便，自己方便。

◆ 冰冻三尺，非一日之寒。

◆ 近朱者赤，近墨者黑。

5 调查

问题 \ 宠物	狗	猫	金鱼	鸟	小白兔
1. 你有没有养过狗?	养过				
2. 你养了几年?	五年				
3. 狗一般吃什么?	骨头、狗食				
4. 养狗有什么好处?	可以看家、陪我玩				
5. 养狗有什么坏处?	花时间照顾它,很麻烦				

62

根据你自己的情况回答下列问题

1. 你养过宠物吗?

2. 你什么时候养过什么宠物?

3. 你养了多长时间?

4. 你养的宠物后来怎样了?

5. 你在电脑上养过宠物吗?

6. 你养过电子宠物吗?

7. 你觉得养宠物有哪些好处? 有哪些坏处?

8. 如果有可能, 你还会养什么宠物?

9. 如果有可能的话, 你会不会养机器宠物? 养机器宠物有什么好处／坏处?

10. 你喜欢看有关动物的书吗? 看过什么书?

翻译

1. 他既会武术, 又会打太极拳。

2. 我妈妈既要工作, 又要照顾家人, 一天到晚忙个不停。

3. 他既会弹钢琴, 又会拉小提琴。

4. He can do both water colour and Chinese painting.

5. He can speak both French and Spanish.

6. Keeping a puppy is both troublesome and dirty.

注释:

"既……又……"

 both ... and ... ; as well as

这孩子既聪明又大方。
This child is clever as well as generous.

8 说三句话，猜一种动物

例子:

这种动物有四条腿，跑得快，可以拉车。

答案: 马

9 CD2 T7 在适当的空格内打 ✓

1. | 男人 | 女人 | 老人 | 适合养宠物，因为他们有 | 钱 | 时间 | 地方 | 。
   |------|------|------|---|---|---|---|
   | | | | | | | |

2. | 老人 | 小孩子 | 年轻人 | 适合养宠物，因为他们可以
   |------|--------|--------|
   | | | |

   | 跟动物玩 | 学画动物 | 跟动物一起长大 | 。
   |----------|----------|----------------|
   | | | |

3. 动物需要 | 住的地方 | 照顾 | 工作 | 。
   |----------|------|------|
   | | | |

4. 你外出旅游，可以 | 带宠物一起去 | 让别人照看宠物 | 把宠物送给别人 | 。
   |----------------|----------------|----------------|
   | | | |

10 说一说

你喜欢养以下哪种动物? 为什么? （至少说出三个原因）

64

阅读(八) 东郭先生和狼

　　从前，有位东郭先生，他是个善良的读书人。有一天，他背着一袋书在山里走着。突然一只狼跑过来对他说："求求你，救救我吧！猎人要杀死我。"东郭先生不知道怎么救它。狼就说："让我藏在你的口袋里。"东郭先生就把书倒了出来，让狼藏了进去。一会儿，猎人跑了过来，没有看见狼就走了。等猎人走后，东郭先生把狼放了出来。狼对东郭先生说："我现在很饿，我要把你吃了。"正在这时，走过来一个农夫。东郭先生非常生气地对农夫说："我救了这只狼，它反而要吃我。"狼说："他把我藏在口袋里，我差点儿闷死。"聪明的农夫想了想，就叫狼再一次藏进袋子里给他看看。狼一进口袋，农夫就用木棒把它打死了。

生词：

1. guō 郭 surname
2. láng 狼 wolf
3. shàn 善 kind; friendly
4. liáng 良 good; fine　善良 shàn liáng kind-hearted
5. dú shū 读书 read a book; study
6. bēi 背(揹) carry on the back
7. dài 袋 bag; sack; pocket; pouch
　　袋子 dài zi sack; bag　口袋 kǒu dài bag; sack
8. liè 猎(獵) hunt　猎人 liè rén hunter
9. cáng 藏 hide; store
10. nóng fū 农夫 peasant; farmer
11. fǎn 反 in an opposite direction; inside out
　　反而 fǎn ér on the contrary
12. chà diǎnr 差点儿 almost; nearly
13. mēn 闷(悶) stuffy; silent

专有名词：

1. dōngguō xiān sheng 东郭先生 Mr. Dongguo

第九课　我的奶奶

CD2 T9

　　我奶奶是1984年去世的。虽然她已经去世了那么多年了，但我还时常梦见她。

　　奶奶出生于1891年，去世的那年她已有93岁高龄了。她身材矮小，长得挺清秀的：小小的眼睛和鼻子，嘴巴也小小的。她十六岁就结婚了，生了四个儿子，我爸爸是老三。奶奶没有读过书，不识字，但是她人很聪明。她常跟我说起她年轻时候的事情。那时候，爷爷一年到头在外面做事，靠他一个人赚钱养家，奶奶在家带孩子、做家务。奶奶是个很有个性的人，很独立，脾气又好，而且很有耐心，从来不发火，这也许就是她能活到那么大年纪的原因吧。

　　我从小是由奶奶一手带大的。在我的印象中，奶奶是个心地善良的人，她乐于助人，跟周围邻居的关系都很好。她在世的时候一直教育我要努力读书，诚实做人。她的话对我的成长影响很大。

　　奶奶有很多优点，但也有缺点，她做事手脚很快，但比较马虎。

根据课文回答下列问题：

1. 奶奶去世那年有多大年纪？
2. 奶奶长得什么样？
3. 奶奶是不是一个有文化的人？
4. 奶奶有没有出去工作过？
5. 奶奶有几个孩子？
6. 奶奶的性格怎样？
7. 她有什么缺点？
8. 奶奶对本文作者有哪些影响？

生词：

① 梦见 (mèng jiàn) see in a dream

② 高龄 (gāo líng) (of people over sixty) advanced age

③ 材 (cái) timber; material; ability
   身材 (shēn cái) figure; build

④ 秀 (xiù) elegant; beautiful
   清秀 (qīng xiù) pretty and graceful

⑤ 识字 (shí zì) learn to read; become literate

⑥ 事情 (shì qing) affair; matter

⑦ 一年到头 (yì nián dào tóu) throughout the year

⑧ 靠 (kào) lean against the wall; get near; depend on

⑨ 赚 (赚) (zhuàn) make a profit; earn 赚钱 (zhuàn qián) make money

⑩ 个性 (gè xìng) personality

⑪ 独 (獨) (dú) single; alone; only 独立 (dú lì) independent

⑫ 脾 (pí) spleen 脾气 (pí qi) temper

⑬ 耐 (nài) be able to endure 耐心 (nài xīn) patience

⑭ 发火 (fā huǒ) catch fire; get angry

⑮ 也许 (yě xǔ) probably; maybe

⑯ 原因 (yuán yīn) reason

⑰ 一手 (yì shǒu) single-handed; all alone

⑱ 印象 (yìn xiàng) impression

⑲ 心地 (xīn dì) mind; nature

⑳ 乐于 (lè yú) be happy to; be ready to

㉑ 在世 (zài shì) be living

㉒ 诚 (诚) (chéng) sincere; honest 诚实 (chéng shí) honest

㉓ 做人 (zuò rén) behave; get along with people

㉔ 成长 (chéng zhǎng) grow up

㉕ 响 (響) (xiǎng) echo; sound; loud; noise
   影响 (yǐng xiǎng) influence

㉖ 优 (優) (yōu) good; excellent
   优点 (yōu diǎn) merit; strong point

㉗ 缺 (quē) be short; imperfect; vacancy
   缺点 (quē diǎn) short coming; weakness

㉘ 做事 (zuò shì) handle affairs; act

㉙ 手脚 (shǒu jiǎo) movement of limbs

㉚ 马虎 (mǎ hu) careless; casual

㉛ 性格 (xìng gé) nature; character

1 在适当的空格内打 ✓

人名 \ 个性	独立	马虎	诚实	善良	细心	自信	脾气坏	有耐心	乐于助人
1. 孙胜									
2. 吴刚									
3. 杨天龙									
4. 李兵									
5. 张秀英									

2 模仿例子编对话

如果你父母这样说你，你会怎样回答?

1. 在家从来不做家务

2. 从来不听父母的忠告

3. 交的朋友我们不喜欢

4. 整天坐在电视机前看电视

5. 一天到晚上网

6. 花太多时间玩电脑游戏

7. 考试成绩不够好

8. 读书不够用功

9. 晚上总是很晚回家

10. 总是光说不做，还找借口

11. 花钱大手大脚

父母：你在家从来不做家务！

你：不是吧！昨天晚上我还帮你洗碗了呢。

3 CD2 T11 先猜猜他们的性格，然后听录音，看看对了几个

① ② ③ ④

4 调查

你父母是这样的吗？	是	有时候	不是
1. 每天告诉你应该干什么			
2. 不许你交男/女朋友			
3. 不许你晚上出去			
4. 让你帮他们做家务			
5. 不听你的意见			
6. 拿你跟其他的孩子比较			
7. 看见你打电话就发火			
8. 让你把音量调小一点儿			
9. 叫你自己收拾房间			
10. 不满意你的穿着			
11. 不给你零用钱			
12. 不给你买手机			

这样的人不受欢迎	同意	不同意。为什么?
1. 从来都不准时		
2. 从来不回电话		
3. 借了东西从来不还		
4. 总是忘记带文具，每天跟别人借笔		
5. 没有耐心听别人把话说完		
6. 常常跟别人借钱，常常忘了把钱还给别人		
7. 放学后总是很晚回家，在外面跟朋友玩		
8. 说话很大声		
9. 读书特别好，其他活动一概都不参加		
10. 平时不好好学习，直到考试前一天才复习		
11. 时常跟人吵架		
12. 喜欢的科目成绩很好，不喜欢的经常不及格		
13. 说话不文明		
14. 学习不自觉，老师、家长管不了		
15. 体育特别好，但是不爱读书		

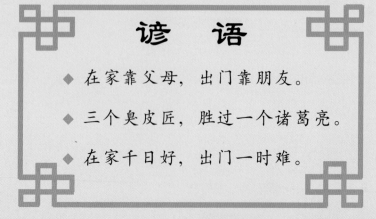

谚 语

◆ 在家靠父母，出门靠朋友。

◆ 三个臭皮匠，胜过一个诸葛亮。

◆ 在家千日好，出门一时难。

6 模仿例子，回答以下问题

1 你的个性是怎样的?

我性格外向，很诚实。我很自信，也很独立。

2 你最要好的朋友有什么个性?

我最要好的朋友叫许玉文。她心地善良、很热心，但是她脾气比较急。

3 你喜欢什么性格的人?

我喜欢性格外向、独立、有自信心的人。

参考词语:

	温和	和气	大方	公正	耐心	老实	忠实	准时
正面	诚实	友好	热心	独立	坚强	细心	乐观	成熟
	自觉	心肠好	有自信	精明能干		心地善良	乐于助人	

反面	小气	马虎	脾气不好	没有耐心	没有信心

	认真	外向	内向	可爱	好奇	活泼	好动	好静
其他	个性很强	心直口快	感情冲动					

根据你自己的情况回答下列问题

生肖 与 性格

鼠 聪明、机警

牛 工作努力，长大后有出息

虎 做事快，性格活泼

兔 文静、心地好

龙 有活力，但以自我为中心

蛇 爱学习，爱思考，不喜欢交朋友

马 自信、急性子

羊 心地善良，对人友好

猴 精明能干、有上进心，但是不长久

鸡 十分自信，直来直去

猪 乐于助人，但容易上当

狗 忠实、公正、好学

1. 你属什么？你的性格是这样的吗？

2. 你爸爸属什么？他的性格是这样的吗？如果不是，说一说他的性格。

3. 你妈妈属什么？她的性格是这样的吗？如果不是，说一说她的性格。

阅读(九) 狐假虎威

CD2 T12

　　一天，老虎在森林里捉到了一只狐狸，便要吃它。狐狸对老虎说："天帝派我来做百兽之王，你不能吃我。"

　　老虎听了狐狸的话，不信。狐狸说："如果你不信，你跟我去森林里走一圈，看野兽们见了我怕不怕。"老虎同意了，就跟着狐狸走。狐狸走在前面，老虎跟在后面。野兽们见了老虎，个个都吓得赶快逃走了。狐狸得意地对老虎说："你自己看看，所有的动物看见我都怕，我是百兽之王，你不能吃我，你要听我的话。"老虎也没有办法，只好听狐狸的了。

生词:

1. 狐 hú fox
2. 狸 lí raccoon dog　狐狸 hú li fox
3. 天帝 tiān dì God of Heaven (supreme god in Chinese legend)
4. 威 wēi mighty force
5. 森 sēn trees growing thickly
6. 林 lín forest; woods; grove　森林 sēn lín forest
7. 捉 zhuō hold firmly; grab; grasp
8. 兽(獸) shòu beast; animal　百兽之王 bǎi shòu zhī wáng king of all animals
9. 圈 quān circle; ring; hoop
10. 野 yě open country; wild land　野兽 yě shòu wild beast; wild animal
11. 逃 táo run away; escape

第四单元　社　区

第十课　小镇上的邮局

CD2 T13

　　英国北部有一个小镇，镇上住着大约3,000多个居民，大部分是退了休的老年人。镇上有一个邮局，由格林夫妇经营。这个邮局不单是一个邮局，它已成为小镇居民生活中不可缺少的一部分。

　　邮局一早七点半开始营业。邮递员把信件放在邮包里，骑着自行车把信送到每家每户。小镇上还有邮筒，清晨专门有邮递员把里边贴好邮票的信件送去邮局。

　　在邮局，居民们不仅可以寄各种信件，例如平信、航空信、挂号信和明信片，而且还可以寄包裹。邮局还卖邮票、信纸、信封、纪念邮票等等。除此以外，居民们还可以在邮局里订报刊、杂志，存、取现金，领取工资，付水、电费等等。镇上居民的日常生活真是离不开这个邮局。

根据课文判断正误：

- ☐ 1) 小镇上住的全部都是老年人。
- ☐ 2) 这个邮局是由一对夫妇经营的。
- ☐ 3) 邮局早上七点开门。
- ☐ 4) 镇上的居民只能去邮局寄信。
- ☐ 5) 在邮局，居民们不仅可以寄信，而且还可以寄包裹。
- ☐ 6) 居民们可以在邮局取钱。

生词：

1 镇 (鎮) zhèn town

2 居民 jū mín resident

3 退休 tuì xiū retire

4 夫妇 fū fù husband and wife

5 经营 jīng yíng manage; operate; run

6 不单 bù dān not only; not the only

7 成为 chéng wéi become

8 生活 shēng huó life

9 缺少 quē shǎo lack; be short of

10 营业 yíng yè do business

11 递 (遞) dì hand over; deliver
邮递 yóu dì send by post or mail　邮递员 yóu dì yuán postman

12 信件 xìn jiàn letter; mail

13 筒 tǒng thick tube-shaped object 邮筒 yóu tǒng mailbox

14 晨 chén morning
清晨 qīng chén early morning

15 专门 zhuān mén special; specialized

16 贴 (貼) tiē paste; stick; glue; cling to

17 邮票 yóu piào stamp

18 仅 (僅) jǐn only; just 不仅 bù jǐn not only
不仅……而且…… bù jǐn ... ér qiě not only ... but also ...

19 平信 píng xìn ordinary mail

20 航空信 háng kōng xìn airmail

21 挂号 guà hào register 挂号信 guà hào xìn registered mail or letter

22 明信片 míng xìn piàn postcard

23 裹 guǒ tie up; parcel; package 包裹 bāo guǒ parcel; package

24 封 fēng seal; envelope; measure word
信封 xìn fēng envelope

25 念 niàn read aloud; study; attend school
纪念 jì niàn commemorate

26 订 (訂) dìng subscribe to; book; order

27 刊 kān print; publication; periodical
报刊 bào kān newspaper and periodicals

28 存 cún exist; deposit; store

29 取 qǔ get 领取 lǐng qǔ draw; receive

30 资 (資) zī fund; money 工资 gōng zī pay; wages; salary

专有名词：

1 格林 gé lín Green

1 根据情景完成下列对话

例子： 在西餐馆：

顾客：这牛排太老了。能不能帮我换一下？

服务员：对不起，我拿错了。请等一下，我马上去给你换一盘。

1. 在邮局：

顾客：你把我的名字写错了。我姓张，弓长张，不是立早章。

服务员：_____

2. 在商店：

顾客：你应该找我九块八毛，但是你只给了我五块八毛。

服务员：_____

3. 在中餐馆：

顾客：我点的是"麻婆豆腐"，但你却给了我"红烧豆腐"。

服务员：_____

4. 在钟表修理店：

顾客：上个星期我把这块表拿来修了，但是现在仍然不走。

服务员：_____

5. 在书店：

顾客：我订的一套《中国民间故事集》来了吗？

服务员：_____

2 用 1-2 分钟说一说你家周围的环境，必须回答以下问题

1. 你家周围有什么公共设施？你是怎么利用这些公共设施的？

2. 如果有一天你当了市长，你会怎样改善这些公共设施？

3 CD2 T14 在适当的空格内打 ✓

1. 她想订

杂志	报纸	书籍

。

2. 她想订

英文	简体字	繁体字

版。

3. 她想订

半年	一年半	半个月

。

4. 她想从

今年一月一号	明年十月一号	明年一月一号

开始订。

5. 她还想订

少年读物	老年读物	青年读物

。

4 翻译

1. 看电视不仅使你了解世界，而且使你学到很多知识。

2. 他不但是一位诗人，而且还是一个画家。

3. 他不仅聪明，而且读书很用功，所以他一直是班上的前几名。

4. 他不仅心地善良，而且诚实可靠。

5. 北京不仅是中国的政治、文化中心，而且是一个主要的交通中心。

6. 我爷爷不仅喜欢养宠物，而且还喜欢种花，整天忙个不停。

注释：

"不但（不仅）……而且……"

 and also; but also; more over

他不仅是个科学家，而且是个诗人。

He is not only a scientist, but also a poet .

5 根据下面的要求编对话

1. 告诉他你要订房间

2. 告诉他你要订单人房

3. 告诉他你要住五个晚上

4. 告诉他你几号到

5. 问他多少钱一晚，有没有打折

6. 问他是否包早餐

7. 问他酒店里有什么设施

8. 问他在酒店里可否订火车票或机票

9. 问他酒店是否有机场接送服务

10. 问他在房间里是否可以上网

在酒店：

服务员

客人

6 CD2 T15 填充

你不在的时候……

姓名＿＿＿＿＿＿＿＿＿＿打来电话。

留言内容＿＿＿＿＿＿＿＿＿＿＿＿＿＿＿＿＿

＿＿＿＿＿＿＿＿＿＿＿＿＿＿＿＿＿＿＿＿＿＿＿＿

＿＿＿＿＿＿＿＿＿＿＿＿＿＿＿＿＿＿＿＿＿＿＿＿

是否要回电话？ 是□否□　　回电号码＿＿＿＿＿＿

日期＿＿＿＿＿＿＿＿时间＿＿＿＿＿＿＿

7 模仿例子编对话

在邮局:

MORRISON HILL POST OFFICE
摩利臣山邮政局

林海英: 我要寄一个包裹去美国。

营业员: 你寄什么?

林海英: 一件衬衫。

营业员: 你要先买一个小纸盒,八块钱。

林海英: 那好吧! 我买一个纸盒。

营业员: 你想寄航空还是平邮?

林海英: 寄航空多少钱?

营业员: 我先称一下,寄航空三十五块。

林海英: 那么寄平邮呢?

营业员: 平邮只要十四块。

林海英: 如果寄航空,几天能到?

营业员: 一星期就能寄到。

林海英: 谢谢! 再见!

营业员: 不客气。再见!

该你了!

从香港寄一件毛衣和一条围巾去澳大利亚的墨尔本:

航空	平邮	纸盒		
		大号	中号	小号
$38.00	$20.00			
一个星期寄到	两个月寄到	$16.00	$12.00	$8.00

8 [CD2][T16] 完成下列句子

1. 他想订_____。

2. 他要看_____。

3. 他要订_____张电影票。

4. 他的信用卡号码是_____

_____。

5. 他要去_____取票。

9 根据情景编对话

情景 1: 下个星期一考汉语。你想

让你的同桌来你家复习功课。

参考问题: 什么时候有空?

几点来?

复习多长时间?

复习什么?

怎样来你家?

情景 2: 下个星期六是你妈妈的生日。

你跟你同桌商量买什么礼物。

参考问题: 妈妈喜欢什么?

可以买什么?

一共有多少钱?

可以去哪里买?

情景 3: 你想养一只宠物。你跟

你同桌商量养什么好。

参考问题: 养什么动物好?

是不是很麻烦?

每天需要花多少时间?

每个月需要花多少钱?

怎样养宠物?

谚 语

◆ 百闻不如一见。

◆ 说起来容易，做起来难。

◆ 温故知新。

阅读(十) 伯乐与千里马

CD2 T17

春秋时期有一个人叫孙阳，因为他有识别千里马的好眼力，被人称为"伯乐"。有一次，他在路上遇见了一匹马，它非常吃力地拉着一辆盐车，全身是汗，喘着粗气。这匹马年纪已经很大了，它刚要上坡，突然前脚一软，倒在了地上。伯乐看出这是一匹难得的千里马。他马上脱下自己的衣服，并把它盖在马的身上。马低下了头，两眼看着伯乐，好像找到了知心人。这匹马懂得伯乐的心情，伸伸腿，站了起来，又重新拉着盐车上路了。

生词：

① **伯乐** bó lè a man good at scouting talent
② **千里马** qiān lǐ mǎ winged-horse; person of great talent
③ **春秋** chūn qiū the Spring and Autumn Period (770-476BC)
④ **识别** shí bié distinguish; identify
⑤ **眼力** yǎn lì eyesight; vision
⑥ **遇** yù meet; encounter **遇见** yù jiàn meet; come across
⑦ **吃力** chī lì requiring effort
⑧ **喘** chuǎn gasp of breath **喘气** chuǎn qì breathe deeply
⑨ **粗** cū wide (in diameter); broad; thick; rough
⑩ **难得** nán dé hard to come by; rare
⑪ **脱** tuō shed; take off
⑫ **盖(蓋)** gài lid; cover
⑬ **低** dī low
⑭ **知心** zhī xīn heart-to-heart **知心人** zhī xīn rén close friend
⑮ **心情** xīn qíng mood
⑯ **伸** shēn stretch; extend
⑰ **重新** chóng xīn again; once more

专有名词：

① **孙阳** sūn yáng Sun Yang

81

CD2 T18

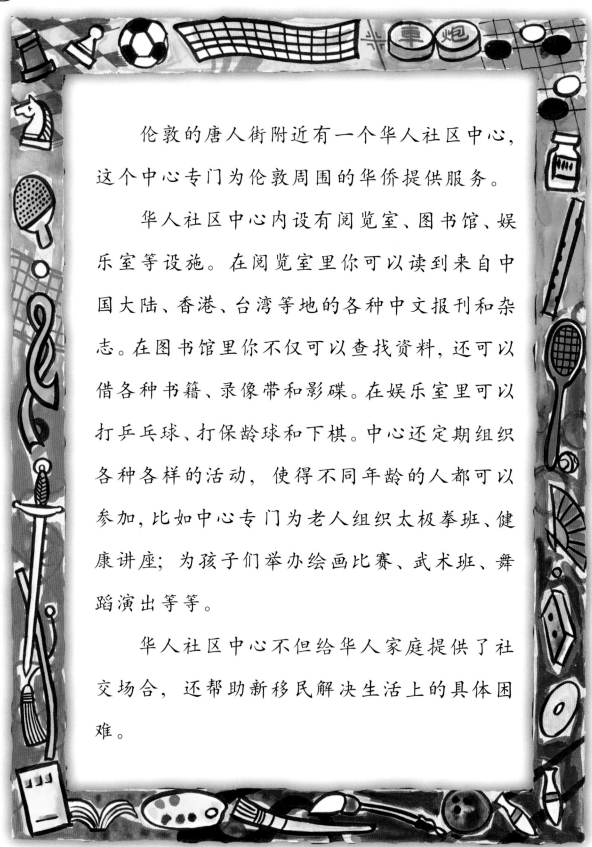

　　伦敦的唐人街附近有一个华人社区中心，这个中心专门为伦敦周围的华侨提供服务。

　　华人社区中心内设有阅览室、图书馆、娱乐室等设施。在阅览室里你可以读到来自中国大陆、香港、台湾等地的各种中文报刊和杂志。在图书馆里你不仅可以查找资料，还可以借各种书籍、录像带和影碟。在娱乐室里可以打乒乓球、打保龄球和下棋。中心还定期组织各种各样的活动，使得不同年龄的人都可以参加，比如中心专门为老人组织太极拳班、健康讲座；为孩子们举办绘画比赛、武术班、舞蹈演出等等。

　　华人社区中心不但给华人家庭提供了社交场合，还帮助新移民解决生活上的具体困难。

根据课文回答下列问题：

1. 唐人街附近的华人社区中心是为谁服务的？

2. 华人社区中心里有什么设施？

3. 在该中心的阅览室里可以读到什么？

4. 从中心的图书馆里可以借什么？

5. 在华人社区中心，老人可以参加哪些活动？

6. 中心可以为新移民做哪方面的事情？

生词：

1. huá rén 华人 Chinese; foreign citizens of Chinese origin
2. shè qū 社区 community
3. tángrén jiē 唐人街 Chinatown
4. qiáo 侨 (僑) live abroad
   huá qiáo 华侨 overseas Chinese nationals
5. gòng 供 lay (offerings); confess　tí gòng 提供 provide; offer
6. yuè 阅 (閱) read; scan　yuè lǎn shì 阅览室 reading room
7. chá 查 check; examine; inspect　chá zhǎo 查找 look for
8. zī liào 资料 information
9. jí 籍 book; record; place of origin　shū jí 书籍 books
10. zū jiè 租借 rent
11. lù xiàng dài 录像带 video tape
12. dié 碟 saucer　yǐng dié 影碟 video disc
13. bǎo líng qiú 保龄球 bowling

14. qí 棋 chess or any board game
    xià qí 下棋 play chess
15. dìng qī 定期 fix a date; regular
16. shǐ de 使得 make; cause
17. jiǎng zuò 讲座 lecture
18. jǔ bàn 举办 conduct; hold
19. dǎo 蹈 step　wǔ dǎo 舞蹈 dance
20. yǎn chū 演出 perform; show
21. shè jiāo 社交 social life
22. chǎng hé 场合 occasion; situation
23. yí mín 移民 immigrate; emigrate
24. jué 决 make a decision　jiě jué 解决 solve; settle
25. jù tǐ 具体 detailed; specific
26. kùn 困 be stricken; sleepy　kùn nan 困难 difficulty

　模仿例子编对话

在华人社区中心图书馆：

> 陆祖强：我想借这十本书，这是书单。

> 图书管理员：让我看看。对不起，这本《西游记》被人借走了，下星期才到期。

> 陆祖强：是吗？那么还回来以后能不能帮我留一下，我下星期再来借。

> 图书管理员：没问题。请你留下你的姓名、联系电话及借书证号。到时我会打电话通知你。

> 陆祖强：其他的书我最长可以借多久？

> 图书管理员：三个星期。如果你还看不完，你一定要把书拿回来盖章后才能续借。

> 陆祖强：好吧！谢谢！那我今天就借这九本。

该你了！

你要借五本书，其中一本《红楼梦》被人借走了。

2 CD2 T19 在适当的空格内打 ✓

1. 大年初一有 | 舞狮 | 中国民族歌舞表演 | 舞龙 | 独唱表演 | 。

2. 大年初一的表演在 | 牛津街 | 唐人街 | 华人社区中心大礼堂 | 举行。

3. 中国民乐队在 | 年初一 | 年初三 | 年初二 | 表演。

4. 中国民乐队下午 | 两点 | 两点半 | 五点 | 开始表演。

5. 适合青少年的节目有 | 少林武术表演 | 儿童合唱 | 钢笔画比赛 |

   | 书法比赛 | 。

6. 少林武术表演在 | 年初三上午十点半 | 年初二下午两点 |

   | 年初三下午两点 | 举行。

3 根据实际情况回答下列问题

1. 你住的国家或地区有没有华人？人数多不多？有华人社区中心吗？

2. 过年、过节时，当地的华人组织什么活动？你参加过吗？

3. 你去过世界上哪些城市的唐人街？什么时候去的？

4. 你在唐人街的中国饭店里吃过饭吗？吃了什么？

5. 你在唐人街的商店里买过东西吗？买了什么？

谚 语

◆ 早睡早起身体好。

◆ 病来如山倒，病去如抽丝。

◆ 家家有本难念的经。

情景1: 张太太刚移民去美国。她不让她六岁的儿子去上学，因为他一点儿英语都不会说。如果我是张太太，我会……，因为……

_____

情景2: 小王去西藏旅游，他的手提包被人偷了，里面有钱、护照和一部照相机。他现在身无分文。如果我是小王，我会……

_____

情景3: 方亚清一个月前向你借了200块钱，到现在还没有还给你，她也从来不提这件事。你怎么来处理？如果……

_____

情景4: 在旅馆大厅的沙发上，你发现了一个钱包。你打开钱包一看，里面有1,000块钱、一张身份证和两张信用卡。你怎样来处理这个钱包？如果……

_____

参考短语:

孩子应该上学	不告诉父母	跟……商量
打电话给警察局	向华人社区求助	问清楚是怎么一回事
客气地跟……提这件事	跟……吵架	可能忘了这件事
打电话给失主	从今以后不理……	肯定有人会帮……
请家教补习英语	把钱藏起来	叫……寄钱来
把钱包还给失主	坏事可能会变成好事	打电话给……
把钱留下，扔掉身份证	跟……打架	问……有没有问题还钱
报告警察	分期还钱	

5 说一说 "华人社区中心" 周围的环境

6 CD2 T20 回答下列问题

1. 这个图书馆有没有阅览室？ _____

2. 图书馆里有没有英文书籍？ _____

3. 在阅览室里你能看到什么报纸？ _____

4. 录像带能借出去吗？ _____

5. 图书最多能借多长时间？ _____

6. 每次能借几盘录像带或影碟？ _____

7. 你能不能在阅览室里上网？ _____

8. 办借书证需要带哪几样东西？ _____

戴明川：你刚到英国有什么不适应？

高志诚：首先是语言问题。我在国内学了英语，但到这里，英国人说话太快了，我听不懂。电视节目也都是英文的，我看不太懂。

戴明川：别着急，慢慢来。过几个月就会好的。

高志诚：我对这里的天气也不太习惯。经常下雨，现在又是冬天，下午三点半天就黑了，早晨八、九点钟天才亮。

戴明川：没错。耐心一点儿，夏天的天气会好得多，习惯了就好了。

高志诚：这里的饭菜也不太合我的口味，薯条、奶酪、咸肉、火腿、面包什么的，我都不太喜欢。我不习惯整天吃西餐，我喜欢吃中国菜。

戴明川：没关系，慢慢来！这些你都会习惯的。你还是先把英文学好，以后一切都好办了。

该你了！

假设你刚到一个新的环境，你会有哪些不习惯的地方？

阅读(十一) 盲人摸象

CD2 T21

　　传说,有这样一个佛经故事。国王让六个盲人先去摸一下大象,然后说出大象长得什么样。第一个盲人摸着象牙说:"大象像一根萝卜。"第二个盲人摸着大象的耳朵说:"大象像一把扇子。"第三个盲人摸着大象的腿说:"你们都错了,大象像柱子,高高的、圆圆的。"第四个盲人摸着大象的尾巴说:"不对,不对,大象既不像萝卜,也不像扇子,更不像柱子。大象像一根绳子,又细又长。"第五个盲人摸着大象的头说:"大象简直像一块大石头,又圆又滑。"第六个盲人摸着大象的身子说:"你们都不对,大象像一堵墙。"六个盲人就这样争论不休,谁也说服不了谁。

生词:

1. 盲 máng blind　盲人 máng rén the blind
2. 摸 mō feel; touch
3. 佛 fó Buddha　佛经 fó jīng Buddhist scripture
4. 故事 gù shi story
5. 象牙 xiàng yá elephant's tusk; ivory
6. 扇 shàn fan　扇子 shàn zi fan
7. 柱 zhù post; column　柱子 zhù zi post; pillar
8. 绳(繩) shéng rope; cord; string　绳子 shéng zi cord; rope; string
9. 身子 shēn zi body
10. 细(細) xì thin; fine; narrow; careful
11. 争论 zhēng lùn debate; dispute
12. 不休 bù xiū endlessly
13. 说服 shuō fú persuade; talk sb. over

89

第十二课　做义工

CD2 T22

　　我是家里的独生子。妈妈为了让我专心读书，从小就不让我做任何家务。我连很简单的家务，例如打扫卫生、擦窗户、倒垃圾或吸尘这类活都没做过。

　　这个学期，我们十一年级的学生有一个"社区活动周"，我被分到一个老人院做义工。一开始我对自己没有信心，不知从何做起。后来，我慢慢开始做一点儿事情，比如给老人家读报，陪他们谈话、聊天，跟他们下棋，开饭的时候照看他们，有时还要推着坐轮椅的老人外出活动。

　　一个星期转眼就过去了，我一下子觉得自己长大了很多。这次活动改变了我对生活的态度，使我学会了怎样照顾别人，还懂得了对人要有爱心和耐心。"社区活动周"确实是一次有意义的活动。

根据课文回答下列问题：

1. 他妈妈为什么不让他做家务？

2. 这个学期他去哪儿做义工了？

3. 一开始他知不知道怎样帮助那些老年人？

4. 他后来在老人院帮老人做了哪些事？

5. 他觉得这次"社区活动周"怎么样？他学到了什么？

生词：

1. yì
   义（義）meaning
   yì gōng
   义工 volunteer work
   yì yì
   意义 meaning; significance

2. dú shēng zǐ
   独生子 only son

3. zhuān xīn
   专心 concentrate on

4. rèn
   任 let; allow; no matter
   rèn hé
   任何 any; whatever; whichever; whoever

5. jiā wù
   家务 housework

6. sǎo
   扫（掃）sweep; clear away
   dǎ sǎo
   打扫 sweep; clean

7. wèi
   卫（衛）guard; protect
   wèi shēng
   卫生 hygienic

8. cā
   擦 rub; scratch; wipe with rags

9. chuāng hu
   窗户 window

10. lā jī
    垃圾 garbage

11. chén   xī chén
    尘（塵）dust; dirt 吸尘 vacuum

12. xìn xīn
    信心 confidence

13. tán
    谈（談）talk; speak; chat; discuss
    tán huà
    谈话 talk; conversation

14. liáo   liáo tiān
    聊 chat 聊天 chat

15. zhào kàn
    照看 look after

16. tuī
    推 push

17. lún   lún yǐ
    轮（輪）wheel 轮椅 wheelchair

18. yí xià zi
    一下子 suddenly

19. gǎi
    改 change; correct
    gǎi biàn
    改变 change

20. tài
    态（態）form; state; appearance
    tài du
    态度 manner; attitude

21. ài xīn
    爱心 love; sympathy

22. què shí
    确实 truly; really

1 调查

你做家务吗?

家务	马诗文	同学1	同学2
1. 擦地	经常做		
2. 扫地	经常做		
3. 擦桌子	每天做		
4. 洗碗筷	每天做		
5. 做饭	很少做		
6. 洗衣服	很少做		
7. 除草	从来没做过		
8. 洗汽车	从来没做过		
9. 照顾宠物	从来没有养过宠物		
10. 照看弟妹	没有兄弟姐妹		
11. 吸尘	家里没有地毯		
12. 擦窗子	从来不做		
13. 倒垃圾	每天做		
14. 收拾房间	经常做		

参考短语:

天天做　经常做　很少做　从来没做过

妈妈说不用我做　妈妈不让我做　每个周末才做

一星期做一次

92

2 [CD2·T23] 选择正确答案

1. 儿子那天有没有功课？
   - ☐ 没有
   - ☐ 有，但是不多
   - ☐ 很多，他做不完

2. 儿子的房间已有几星期没有打扫了？
   - ☐ 一个星期
   - ☐ 两个星期
   - ☐ 三星期

3. 儿子什么时候会收拾房间？
   - ☐ 今天晚上
   - ☐ 明天
   - ☐ 后天

4. 明天儿子会帮妈妈除草吗？
   - ☐ 可能不会
   - ☐ 一定会
   - ☐ 没有提到

5. 儿子用他的零用钱买了什么？
   - ☐ 一本小说和一个电脑软件
   - ☐ 一本电脑杂志和一件衬衫
   - ☐ 一本体育杂志和一个电脑软件

3 根据你自己的情况回答下列问题

1. 你做过义工吗？做过什么义工？

2. 你什么时候做的义工？你跟谁一起去的？做了多久？

3. 请你讲一讲其中的一天是怎么过的。

4. 你喜欢照看小孩还是照顾老人？

5. 如果有机会的话，你会做什么样的义工？

6. 你从做义工的经历中学到了什么？

4 根据你们学校的情况，模仿例子编对话

马秋云的新学校

－教室：不太干净，特别是午饭后教室里都是垃圾

－小卖部：价格太贵，饭菜不太好吃，煎炸食品太多，还卖糖果、
薯片、饮料

－学生晚会：次数太少

－课外活动：形式太少，只有球类活动

－家庭作业：太多，每位任课老师都留大约45分钟的功课

马秋云：我最近转学了，转到了西城中学。

金希明：你喜欢你的新学校吗？

马秋云：不太喜欢。这个学校不太干净，特别是午饭后，教室里到处都是垃圾。

金希明：你们学校有小卖部吗？

马秋云：有，这个小卖部卖的东西很贵。

金希明：学校组织学生开晚会吗？

马秋云：有，但次数很少，三个月一次。

金希明：你有没有参加课外活动？

马秋云：没有，因为课外活动形式太少，只有球类活动，没有别的。

金希明：你们功课多吗？

马秋云：比以前多。每个老师都留45分钟的功课，加起来就很多。

5 根据情景编对话(以下问题仅供参考)

假设你和另外29名学生及4位英语老师上个星期去一个乡村小学做义工了。

你们的工作是：	乡村小学：
–教三年级的学生学英语	–一年级到六年级，全校300多个学生
–星期一到星期五，每天教一节（45分钟）英语课	–校舍不大，只有一个操场
–教小学生唱英文歌，跟他们一起做游戏，给他们讲故事等等	–每个班大约有40个学生
	–课外活动不多，每天都有家庭作业
	–学生都很用功读书，很听话，很好教

■ 1. 你上星期去哪儿了？

■ 2. 你们有多少人去？

■ 3. 你们每天都做些什么？

■ 4. 你每天教几年级的学生？

■ 5. 你是怎样给他们上课的？

■ 6. 这个乡村学校大不大？介绍一下这个学校。

■ 7. 那里的学生怎么样？

■ 8. 做完一个星期的义工，你有什么体会？

6 CD2 T24 回答下列问题

1. 他们学校有几个小卖部？

2. 他现在常去小卖部买东西吃吗？

3. 他常去小卖部买什么吃？

4. 他每次排队要排多长时间？

5. 他每天要花多少零用钱？

6. 有小卖部的好处是什么？

7. 有小卖部的坏处是什么？

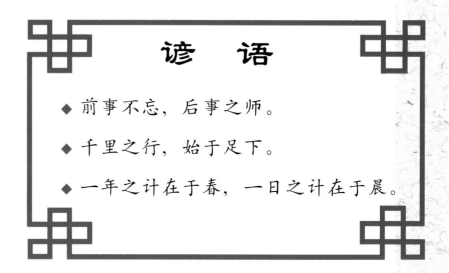

谚　语

◆ 前事不忘，后事之师。

◆ 千里之行，始于足下。

◆ 一年之计在于春，一日之计在于晨。

7 小组讨论

五十年后人们的生活会发生什么变化?

1. 家务由谁做？

2. 汽车是否还用汽油？

3. 人们是否还要出外上班？

4. 人是否还需要吃"饭"？

5. 垃圾是否可以全部再利用？

6. 机器人是否可以代替人？

7. 学校是否还存在？

8. 将来的"書"會是什么樣的？

阅读(十二) 井底之蛙

有一只青蛙,住在一口井里,对自己的小天地满意极了。有一天,青蛙没事干,觉得无聊。正在这时,一只海龟来到井边。青蛙见到海龟,兴奋地说:"海龟兄弟,你来得正好。请你来参观一下我的住处吧。我这里像天堂一样。"海龟往井底一看,里面黑黑的,只有浅浅的水。于是海龟对青蛙说:"你听说过大海吗?"青蛙摇摇头。

海龟又继续说:"我住在大海里。大海无边无际,比住在井里快活多了。"青蛙听了,睁大了眼睛,想像不出大海是什么样子。

生词:

1. jǐng 井 well
2. dǐ 底 bottom; base
3. wā 蛙 frog   qīng wā 青蛙 frog
4. mǎn yì 满意 satisfied; pleased   duì……mǎn yì 对……满意 be satisfied with
5. wú liáo 无聊 bored; dull
6. guī 龟(龜) tortoise; turtle   hǎi guī 海龟 sea turtle
7. fèn 奋(奮) act vigorously   xīng fèn 兴奋 excited
8. zhù chù 住处 residence

9. tiān táng 天堂 heaven; paradise
10. qiǎn 浅(淺) shallow; simple; (of colour) light
11. yáo tóu 摇头 shake one's head
12. jì 继(繼) continue; succeed
13. xù 续(續) continuous   jì xù 继续 continue
14. wú biān wú jì 无边无际 boundless; limitless
15. kuài huo 快活 happy; cheerful
16. zhēng 睁 open (the eyes)
17. xiǎng xiàng 想像 imagination; imagine

附 录

第一单元 中国概况

第一课 中国的地理环境

CD1 T2

　　如果你去上海，你可以坐飞机，坐船，也可以坐火车。上海的公共交通设施很好：有地铁、公共汽车、小巴、出租车等。坐地铁不算贵，又快又方便。坐公共汽车比坐地铁便宜，但是上、下班时车上的人很多，有时候在路上会花很长时间。现在坐出租车上、下班的人越来越多了，特别是在下雨天。反而，现在骑自行车上、下班的人比以前少多了。总的来说，上海市内的公共交通设施比以前更完善了。

CD1 T3

　　中国的主要河流有长江、黄河和珠江。长江是中国最长的河流，也是世界上第三大河，全长有6,300多公里，流经中国中部的9个省，在上海流入东海。黄河是中国的第二大河，全长有5,464公里，流经中国北部的9个省，在山东流入黄海。珠江在中国的南部，全长有2,200多公里。

第二课 汉语

CD1 T6

	（一）		（二）
1. 官方	饭馆	1. 酒店	6. 开始
2. 通用	头痛	2. 颜色	7. 造纸
3. 将近	豆浆	3. 应该	8. 知道
4. 看懂	严重	4. 熊猫	9. 风筝
5. 由于	邮局	5. 参加	
6. 买卖	读书		
7. 拼音	月饼		
8. 正确	角色		

CD1 T7

　　二十一世纪的世界变得越来越小了，多说一种或几种外语会为一个人将来的工作、生活带来无形的帮助。

　　英语在世界上是一种很通用的语言，但是现在学汉语和西班牙语的人数越来越多了。世界上使用汉语的国家和地区主要有中国、台湾和新加坡。拉丁美洲地区主要使用西班牙语和葡萄牙语。奥地利、瑞士及东欧一些国家主要使用德语。很多非洲国家及加拿大等地使用法语。

第三课 中国饭菜

CD1 T10

(1) 中国人做饺子一般放白菜和猪肉。

(2) 三明治里有奶酪、西红柿、黄瓜和鸡蛋。

(3) 春卷里有猪肉、胡萝卜、粉丝等。

(4) 煮鸡汤可以放咸肉、火腿、鸡和豆腐皮。

(5) 水果沙拉里有梨、苹果、草莓和葡萄。

CD1 T11

以下是做蛋炒饭的步骤：

第一步：先把米饭做好

第二步：准备好青豆、葱花

第三步：打两只鸡蛋，放盐

第四步：把锅烧热，加油

第五步：等油烧热后，放入打好的鸡蛋，炒几下，然后鸡蛋出锅

第六步：再往锅里加油，油热后放入葱花和青豆，炒几下，放一点儿水，煮三分钟

第七步：放入米饭和炒好的鸡蛋，再炒几下

第八步：把做好的蛋炒饭装盘

第二单元 旅游

第四课 香港、澳门游

CD1 T14

　　张先生一家四口来到康城度假。入住酒店后，他们发现房间的冷气机是坏的，热水也没有，而且隔壁很吵。张太太想打电话给服务台，但电话打不通，她只好下楼到服务台。服务台的工作人员说，他们拿错了钥匙，会马上给他们换一间房。

CD1 T15

(一) 各位旅客请注意：由香港飞往上海的KA903港龙航空公司的班机已经开始登机了。请各位旅客携带好自己的行李前往九号登机口登机。

(二) 飞机马上就要起飞了。请各位旅客回到自己的

座位上，系好安全带。请把手提行李放在头上方的行李箱内或座位底下。请各位关掉手提电话，停止使用各种电子物品。谢谢大家的合作!

第五课　暑假

CD1 T18

（一）花园酒店招一个计时工，做大堂经理的助手，每天工作六小时，需懂汉语、英语和广东话。有意者请打电话跟陈先生联系。电话号码是 2599 6588。

（二）牙医诊所想请一位秘书。她的主要工作是接电话、整理病历等。星期一到星期五，每天工作八小时。有意者请打电话给马小姐。电话号码是 2247 8600。

（三）如果你的母语是英语，那么你可以来我校教小学生英语。有意者请打电话给田校长。电话号码是 9473 2800。

（四）长乐公司想请一位半时秘书，星期一至星期五下午两点到六点上班，主要工作包括打字、复印文件、收发信件等。如果你对这份工作感兴趣，可以打电话给张先生。电话号码是 2369 0812。

CD1 T19

安心旅行社将组织为期两星期的"英、法游学之旅"，其目的是在提高学生的英语水平的同时，他们还可以游览英、法名胜古迹。旅行团的领队和导游都会讲英语和粤语。教英语的老师都有十年以上的教学经验。学生每天上午上四节课，每周上20节课，下午和周末将游览英、法名胜，包括迪士尼乐园、白金汉宫等等。每班学生人数不超过15人。学生们会住在大学宿舍。"英、法游学之旅"于7月15号和7月25号出发。团费20,000港币。

第六课　世界名城

CD1 T22

杨天行准备去英国自助旅游。他打算先去伦敦。他会在那里停留三天，参观大英博物馆、蜡像馆等名胜。第四天他会乘火车去参观世界闻名的牛津大学。第五天他会租车前往英国北部城市曼彻斯特。在那里他会去中国城看望他多年不见的堂兄。

CD1 T23

（一）孔亮亮的朋友介绍说，如果去纽约，你一定要去看自由女神像，还要去第五大街购物。

（二）高朋今年暑假想去伦敦旅行。他第一天会去塔桥和大笨钟游览。

（三）黄巧英从小就非常想去法国的巴黎。她最想亲眼看到艾菲尔铁塔，也想到罗浮宫看看。

（四）江超是在英国长大的华人子弟。他今年夏天要跟一个旅行团去北京参观颐和园、天坛等名胜古迹。

（五）张建国是日本通，说一口流利的日语。他明年会跟父母一起去日本的东京游玩富士急游乐场、迪士尼乐园等旅游景点。

第三单元　家居生活

第七课　家谱

CD2 T2

（一）
A：我叔叔快要结婚了。
B：什么时候?
A：下个月 15 号。

（二）
A：外公病得很重。昨天进医院开了刀。
B：那我们赶快去医院看看他吧。

（三）
A：我姥姥画水彩画最出名。
B：我姥爷画国画画得很好，他每天在家画画儿。

（四）
A：你外婆退休了吗?
B：退休了，但她还回去工作。她星期一、三、五干半天。

（五）
五月六号是爷爷的八十岁生日。南京的姑姑和大连的叔叔到时都会来上海给爷爷祝寿。

（六）

A: 堂姐考上了北京大学。

B: 那她一定很高兴吧!

CD2 T3

A: 你有叔叔吗?

B: 有一个。

A: 说一说你叔叔。

B: 他是律师。他在律师行工作。

A: 你叔叔结婚了吗?

B: 结婚了。我婶婶是老师,在一所法文学校教法语。

A: 你有没有姑姑?

B: 有一个。她是商人,在一家进出口公司工作。她还没有结婚呢。

A: 你有舅舅吗?

B: 有。他是医生,在广州中山医院工作。他还没有结婚。

A: 你有阿姨吗?

B: 有。她是经理,在一家酒店工作。

A: 她结婚了吗?

B: 刚结婚。她丈夫是工程师,在一家汽车厂工作。

第八课　养宠物

CD2 T6

（一）这种动物是人类忠实的朋友。它们身上的毛可能是黑色的、白色的或棕色的。它们可以看家。如果看见生人,它们会叫。

（二）这种动物喜欢吃鱼,会捉老鼠。它们白天喜欢睡觉,晚上出来。它们身上的毛可能是白色的、黑色的、米白色的或棕色的。

（三）这种动物有长长的耳朵、短短的尾巴,喜欢吃菜和胡萝卜。它们很安静,不会叫。

（四）这种动物的动作像人。它们最喜欢吃香蕉。它们很活泼、好动,一刻也停不下来。

（五）它们有大耳朵、小眼睛,爱吃东西,吃了就睡。它们全身都是宝。

（六）这种动物很大,鼻子长长的,耳朵很大,牙又白又长。它们走起路来很慢,动作笨头笨脑的。它们不是食肉动物。

CD2 T7

A: 我觉得老人适合养宠物,因为他们平时没有什么事情可做,有很多时间。

B: 我觉得小孩子适合养宠物,因为他们可以跟动物玩,会很开心。

A: 养动物也挺麻烦的。你得有地方给它们住,还得花时间照顾它们。

B: 是啊! 如果你外出旅行,你还得找人照看它们。

第九课　我的奶奶

CD2 T10

（一）孙胜脾气不好,常常跟人吵架。

（二）吴刚是个很诚实的孩子,而且乐于助人。

（三）杨天龙个性很强,很独立,做事很有自信。

（四）李兵是个细心的孩子,做事很可靠。

（五）张秀英心地善良,做事很有耐心。

CD2 T11

（一）很外向,心直口快,很会说笑话。

（二）她比较内向,不爱说话,但很有耐心。

（三）他是个急性子,脾气不太好,做事也马虎。

（四）她很聪明、可爱,也很独立、自信。

第四单元　社区

第十课　小镇上的邮局

CD2 T14

A: 你好! 我想订中文报纸。

B: 你要订简体字版还是繁体字版?

A: 我要订简体字版。

B: 你想订多长时间?

A: 先订半年。

B: 你想从什么时候开始订?

A: 从明年1月1号开始。

B: 还要订其他的读物吗?

A: 你们有没有少年读物?

B: 有很多。我先寄一份目录给你看看,怎么样?

A: 好吧! 我先看一下目录,然后再跟你联系。

B: 那也好。再见!

A: 再见!

A: 请问王红在吗?

B: 她不在。你找她有事儿吗?

A: 有事儿,但不是急事儿。

B: 那么你要留言吗?

A: 好吧! 我姓黄,黄色的黄,叫林,双木林。我的电话号码是2864 3721。请你转告她,我已经回来了,让她明天上午打个电话给我。

B: 好。再见!

A: 再见!

A: 我想订电影票。

B: 请问,你想看什么电影?

A: 我看《卧虎藏龙》。

B: 你看哪一场?

A: 下午两点半的。

B: 你订几张?

A: 我订三张。

B: 你的信用卡号码是多少?

A: 请等一下,我去拿。信用卡的号码是9430 8240 1411 2433。

B: 你明天来售票处取票就可以了。请问贵姓?

A: 我姓张,叫张明。

B: 好了。再见!

A: 再见!

第十一课　华人社区中心

A: 伦敦华人社区在春节期间组织活动吗?

B: 当然了,每年都有不同的节目。

A: 今年有哪些节目? 能不能给我们介绍一下?

B: 可以。今年大年初一有舞龙、舞狮、中国民族歌舞表演。

A: 在哪儿? 几点开始?

B: 在唐人街,上午十一点开始。

A: 年初二有什么活动?

B: 初二有民乐表演。地点在东伦敦华人社区中心,下午两点开始。

A: 有没有适合儿童和青少年的节目?

B: 有。初三有少林武术表演、书法比赛,还有儿童合唱表演。

A: 这些表演都在什么地方举行?

B: 在唐人街社区中心的小礼堂,上午十点半开始。

A: 谢谢你的介绍。

B: 不客气,请到时来参加。

A: 我是刚到这里的留学生。您能不能给我介绍一下这个图书馆?

B: 你好! 欢迎你来这里。我可以先带你参观一下。这个图书馆藏有各种书籍:有中文的,也有英文的。这是阅览室,你在这里可以看书、看报或上网。阅览室里有各种中、英文报刊、杂志,还有字典、录像带、影碟等等。字典、报纸和杂志都不能外借。

A: 那图书我可以借回去看吗?

B: 当然可以,你还可以借录像带和影碟。

A: 我一次可以借几本书?

B: 最多五本。

A: 录像带和影碟呢?

B: 最多三盘。

A: 一次能借多久?

B: 书籍最多能借两个星期,录像带和影碟一个星期。

A: 我怎么借?

B: 你要先办借书证。你下次来的时候带上你的护照和一张照片。

A: 好。多谢!

第十二课　做义工

妈妈　你又在看电视了。你的功课还没有做好呢!

儿子: 我今天功课不多,等一会儿做也来得及。我一定能在十点以前把功课做完。

妈妈: 你看看你的房间,有多脏,到处都是垃圾。你已经有两个星期没有打扫了! 你一点儿都不讲卫生。

儿子：我今天忙完后，明天就收拾房间。我说到做到。

妈妈：你明天能不能帮我吸尘、除草？

儿子：可以，但是我明天下午有数学比赛，到家可能要七点半了，除草太晚了吧，不过我可以帮你吸尘。妈妈，你能不能给我一点儿零用钱？

妈妈：我上星期给你的两百块钱，哪儿去了？

儿子：我买了一本体育杂志和一个电脑软件，现在只剩下十几块钱了。

(CD2)T24

A：你们学校有小卖部吗？

B：有。有两个。

A：你常去小卖部买东西吃吗？

B：以前去得少，现在经常去。

A：你常去买些什么？

B：我买午饭、小吃和饮料。

A：你每次买东西要排队吗？

B：要，大概要排十分钟。

A：那里的东西贵不贵？

B：还可以。

A：你每天要花多少零用钱？

B：差不多二十块。

A：你觉得学校有小卖部有什么好处？

B：我觉得好处是买东西比较方便。

A：那坏处呢？

B：我几乎每天都要花钱买东西吃。